日本転生

絶体絶命の国の変え方

THE REINCARNATION OF JAPAN

苫米地英人

TOMABECHI HIDETO

実はこれ、実現可能なのです。

なぜなら、転生するのは私たちではなく、日本という国にしてもらうからです。

日本国転生。

日本の政治、教育、経済、社会、国防、これらの悪いところを探り出し、えぐり出して転生してもらうための50の提言をしていきます。

この50の提言を実現することで日本が転生していくのです。

たとえば、日本の国会です。

みなさんは日本に国会があると思いますか？

物理的には間違いなくありますね。東京永田町には、国会議事堂があって、国会議員がいて、集まって国会を開いています。

しかし、あれが、国民の代表者を集めて国の未来を描き現実的な課題に対処していくような、国会と言えるでしょうか？

議員のスキャンダルをあげつらったり、議員の個人的な主張をとうとうと述べる時間の長いこと。肝心の政策については官僚がつくったペーパーを読むだけ。挙げ句の果てには強行採決。対する野党は牛歩戦術。国民をバカにするのもたいがいにしてほしいものです。

いまの国会が茶番なのは、すべての結論が密室で先に決まっており、国会は単なる儀式の場に成り下がっているためです。

こういったことを変えていきたいのです。そのために本書では「密室」についても探っていき、みなさんの目の前に明らかにしていきたいと思っています。

日本は教育も停滞しています。

なぜ、日本の大学は世界ランキングで１００位以内にほとんどが入らないのでしょうか？

それは文部科学省がつくる「学習指導要領」に問題があるからでしょう。

「学習指導要領」とは、全国どこの学校でも一定の水準が保てるよう、文部科学省が定めている教育課程（カリキュラム）の基準です（文部科学省のＨＰより）。

この基準に誤りがあるのです。何が誤りなのかと言うと、「一定の水準」の部分です。一定の水準にこだわるあまり、水準を超える子供たちの受け皿を用意していないことです。さらに、一定の水準を下回る受け皿もいまや放棄しようとしています。

日本は経済も停滞しています。

「失われた10年」が「失われた20年」になり、いまや30年、40年と言われるほど、経済は成長していません。よくこれでＧＤＰ世界第３位を維持していられたなと驚くばかりです。逆に言えば、３位をキープできていたのは日本人が持つ潜在能力の賜物なのです。

この賜物を活かせないばかりか、そこにあぐらをかいて「失われた年月」をいたずらに延ばしているのが財務省、経済産業省、日本銀行といった日本の財政と経済を担うトップたちでしょう。不況のときに税金を上げれば経済が停滞するのは当たり前です。こう言ってはなんですが、子供でもわかる理屈です。

この子供でもわかる理屈がわからないことに元凶があります。要は、本当に彼らはわからないのでしょうか？　ということです。

日本のトップがこのくらいのことをわからないわけがないのです。なのに、なぜやっているのか？　という部分です。

そういった部分にもメスを入れながら、日本の経済を、私たちの生活をより良いものにするための方法論を提示していきます。

日本は社会も停滞しています。

その理由は民主主義が崩壊しているからです。

日本のトップが国民に主権があると思っていないので、国民のほうを見ない政策をとり続けているために住み良い社会がなかなかできてこないのです。

日本は「国防・防衛」も停滞しています。

その最たるものが「核シェルター」の普及率でしょう。他国の普及率を見ると、韓国では３００％、イスラエルでは１００％、ＮＡＴＯ諸国でも７～８割です。対する日本はなんと０・02％です（普及率は諸説ありますが、総じて日本は１％未満）。対して全世界における核弾頭の総数は、２０２３年６月現在で推定１万２５２０発なのです。内訳を見ると中国で４１０発、ロシアで４４９０発、アメリカ３７０８発、北朝鮮40発です。日本の周りには８６４８発もの核弾頭が現存しているのです。日本の周辺は中国、北朝鮮、ロシア、そして太平洋を挟んでアメリカと、東西南北のすべてが核保有国なのです。

であるのに、０・02％の核シェルター普及率というのは日本政府が国民の命を軽視していることの証明と言っても過言ではないでしょう。

なぜこんなことになってしまっているのでしょうか？

それはあまりにも核をタブー化し、議論することさえ、口にすることさえ、考えることさえ放棄してしまっているためです。

日本は国防に対して思考停止してしまっているのです。なによりこれが怖いのです。

いまの日本には問題が山積しています。

あまりの多さにどこから手をつけていいかわからないくらいでしょう。

ですから、50の提言なのです。

細かな問題を一つひとつあぶり出して根治治療をするのです。対症療法ではもう間に合いません。私たちはもう十分、痛みに耐えてきました。

根本的な大胆な治療がいまこそ必要なのです。そのために、私は本書を書きました。

なかには突拍子もない提言もあるでしょう。しかし、本気で変えるとなれば、転生するかのごとく、大きく変えることが求められるのです。いますぐ着手しても20年、30年かかるものもあるはずです。

それでも私たちはやらなければいけないのです。

私たちがいまやらなければ誰がやるのでしょうか?

国を変えるとはそういうことです。

未来のために、日本国転生を本気で実現させていきましょう。

日本転生　絶体絶命の国の変え方　目次

第5章 ボロボロの教育システムとリーダーを超えてゆく 163

第1章

瀬戸際の日本で起きていること

民主主義が資本主義に駆逐《くちく》される日本

かねてから私は民主主義の最大の敵は資本主義だと言ってきました。民主主義国家で資本主義が台頭すれば民主主義は駆逐されてしまうのです。

しかし、多くの人がその危険性にほとんど気づいていません。それどころか、「日本は共産主義国ではなく、資本主義の国だ。それはいまに始まったことではないのだからそんなに大騒ぎすることはないだろう」と思っているような人が大半でしょう。

本当にそうでしょうか？

ソ連の崩壊とともに共産主義も失敗しました。それは同時に、資本主義の成功であると私たちは思い込んでしまっています。

しかし、共産主義の失敗がイコール資本主義の成功になるとは限りません。資本主義もまた壮大な経済実験のさなかにあり、いままさにその成否が問われようとしているように私には思えてならないのです。

そもそも資本主義とはどういうものか、みなさんはご存知ですか？

共産主義を駆逐した、ベストではないがベターな経済システム。そう思っている人は多いでしょう。しかし、資本主義は、国民よりもお金のほうが上という意味なのです。民主主義は国民に主権がありますが、資本主義は極端な話、「資本に主権がありますよ、資本家主義国家ですよ」という意味になるのです。Wikipediaですら「国政によってよりも営利目的の個人的所有者たちによって貿易と産業が制御（コントロール）されている、経済的・政治的システム」とあります。資本主義が決してほめられたものでないことは誰にでもわかるはずです。


そしてこれが理解できると、いまの世界に感じる不条理さの源が見えてくるでしょう。

たとえば、世界経済フォーラム（ＷＥＦ：World Economic Forum）は基本的には毎年1月、スイスのダボスで開催される経済会議です。主催は国連のような国際機関でもなければ、国家でもありません。世界的な大企業が集まってつくった団体に、世界各国の大統領や首相や財務大臣らが集まるのです。そのさまは王に呼ばれた臣下のようです。

しかも、会議の中身はと言えば、各国の首相や大臣たちが壇上に立ち、前年のＷＥＦで決まったアジェンダをいかに実行に移したか、どれだけの成果が挙げられたのかを発表する場と言ってもさしつかえない内容です。その発表を聞くのが世界的な大企業の人々で、その様子は大臣たちの1年間の活動を採点しているかのようです。

実際、大きな成果をあげた大臣たちがＷＥＦの幹部たちにほめられて満面の笑みを浮かべているのを見たことがあります。

こういった構造はオリンピックにもあてはまります。国際オリンピック委員会（ＩＯＣ）も単なる民間団体なのですが、多くの政府や首長、王までが彼らに群がって「うちでオリンピックを開催させてくれ」とやってきました。

２０１３年、オリンピック開催が東京に決まったときには重大な国家戦略が決まったかのような沸き立ち方でした。その後、来日したオリンピック関係者たちは国賓のような扱いをされていました。開会式では天皇陛下の真横に平然と座って何度も離席するなど、日本国民として非常に納得いかないものを感じたのを覚えています。

ＷＥＦにしてもオリンピック委員会にしても、いったい彼らは何者なのか？　いえ、誤解を恐れずに言わせてもらえば、「何様なのか？」という思いがどうしてもぬぐえないのです。

何度も言いますが、彼らは単なる民間団体なのです。大企業とはいえ単なる私企業の集まりです。そういう人々の呼びかけになぜ大統領や財務大臣が応えるのでしょうか？オリンピックはいまや、その中身は完全に営利目的ですが、一応見かけはスポーツによる世界平和といったものを掲げています。しかし、ＷＥＦはその名の通り、経済のため＝お金のためと言っているのです。そういう会議に大統領や財務大臣が参加するということが問題にならないこと自体おかしいのです。

大統領や総理大臣は国民によって選ばれた人のはずです、少なくとも民主主義国家では。民主主義で選ばれた国の代表が、民主主義で選ばれていないお金持ちの企業の集まりに行き、そこで決まったアジェンダを実行しようとするのはどう考えてもおかしいでしょう。

ところが、日本は２００９年にＷＥＦの日本事務所を経済産業省の肝いりでつくりました。ＷＥＦのアジェンダであるＳＤＧｓ（持続可能な開発目標）の遵守、コロナワクチンの複数回接種などにも極めて忠実です。一例を挙げると、コロナワクチンは製薬会社との最初の契約の段階で８億８２００万回分の契約をしています。これは厚生労働省の内部資料にははっきりと記載されている事項で、８億８２００万回分と言えば、国民一人に対してほぼ8回分です。日本政府は最初から国民全員にコロナワクチンを8回打たせるつもりだったとしか思えません。

百歩譲って「品切れに備えてのストック」という言い方もできるかもしれませんが、8回分というのはやはり多過ぎるでしょう。金額と人体への安全面を考えれば、国民の許可を取るべきでした。それをせずに契約したというのは厚生労働大臣だろうが総理大臣だろうが関係ありません。契約を結んだこと自体、国民の意志は無関係、ということです。契約優先、企業優先、資本家優先の考え方であり、まさにこれを「資本主義」と言うのです。

驚くべきことに、**いまの日本は民主主義が資本主義に駆逐されてしまっている**のです。

ほんの一昔前、資本主義は民主主義の最大の敵と言われていました。いまの私たちはそんなことすら忘れてしまって、資本主義を受け入れてしまっているのです。

まず、そこに気づいてください。

気づかなければ、何も始まりませんから。

グレートリセットの正体

「グレートリセット」は、2021年に開催予定だった世界経済フォーラム（WEF）のテーマとなったことで有名になった言葉です。

それでなくとも世界中のお金持ちたちと各国の大統領や首相、財務大臣たちが集まるWEFです。世界の経済に対して大きな影響力を持つ彼らが提唱する「偉大なるリセット」は日本でも大きな話題になりました。同じ時期、新型コロナウイルスの世界的な蔓《まん》延《えん》もあって、陰謀論めいた憶測が飛び交っていたことを覚えている人も多いでしょう。

「彼らお金持ちたちが自分たちに都合のいいように世界をつくり替えようとしている。それがグレートリセットだ」と多くの人は思っているはずです。

もちろん、それは当たらずとも遠からずではありますが、核心に触れているのかといえば違います。

なぜなら、「グレートリセットとはどこにリセットすると思いますか？」と聞くとほとんどの人が答えられないからです。

リセット＝元に戻すと言っている以上、彼らの考える「元」の時空間はあるはずです。ところが、この部分が漠然としている人が結構いるのです。漠然としているのに批判だけはする。結果、その批判は的外れになってしまうことにもつながるのです。

　グレートリセットを理解するには、「どこにリセットするのか？」がわからないと始まりません。ですので、まずはグレートリセットの「リセット」とは何かを考察していきましょう。


　グレートリセットは西洋人、ヨーロッパ人にとって「偉大な」だけで、東洋人にはまったく関係ありません。それどころか、害悪にしかならないのです。

　なぜなら、グレートリセットはヨーロッパ人の、ヨーロッパ人による、ヨーロッパ人のための思想だからです。

　多くの人にとってヨーロッパと言えば、現代の文化や経済を形づくった土地といったイメージだと思われます。アメリカのウォールストリートが現在の金融市場を牛耳っていますが、アメリカもヨーロッパからの移民によってつくられた国ですからヨーロッパの枠内に入ります。

　ヨーロッパの人々の物の考え方はどういうものかというと、大航海時代を見ればとてもよくわかります。ポルトガルやスペイン、のちにはオランダ東インド会社、イギリス東インド会社といった勢力がインド洋や南北アメリカ大陸に渡って、現地を植民地化していった時代が大航海時代です。

彼らは砲艦外交によってインド周辺諸国や南北アメリカ、アフリカを蹂躙《じゅうりん》し、物的資源、人的資源を根こそぎ奪っていきました。そのやり方はバーバリアンそのものと言って間違いないでしょう。

しかし、私たちはここで少し勘違いさせられています。ヨーロッパ人たちがアジアやアメリカ、アフリカを征服したのは彼らのほうが優れた民族だったから、と思わされている点です。

実は大航海時代と呼ばれる１４００年～１６００年代は、文化的に優れていたのはアジアやアメリカ、アフリカのほうでした。当時のインド洋周辺は、南アフリカの象牙や金、ペルシャの絨毯《じゅうたん》、乳香、インドの綿や宝石、中国の絹、陶器、東南アジア諸島の香辛料などを物々交換によって交易した、中世最大の商業海域だったのです。

インド洋周辺の港は人とモノにあふれ、活気に満ちていました。

そこに突如、見慣れない船に乗って現れたのがヨーロッパ人でした。最初彼らは港の人々と交易を試みたのですが、大失敗します。なぜなら、彼らが持ってきた品物はあまりにも貧相だったからです。たとえば、ヨーロッパ人で初めてインドまでの航路を切り拓いたバスコ・ダ・ガマが持ってきたインド王への贈り物は「縞《しま》模様の布12枚、6個の帽子、6着の外套《がいとう》、洗面器6個、サンゴの首飾り4個、砂糖、油、蜂蜜」だったのです。あまりの粗末さに「こんなみすぼらしいものを持ってきたのはお前らが初めてだ。領主への贈り物じゃない」と下級役人の笑い者になったほどでした。

文化レベルの差は歴然だったのです。

しかし、インド洋の人々は寛容で、そんな彼らであっても取引をしてくれる人たちはいました。ところが、バスコ・ダ・ガマの船団は彼らに艦砲射撃を行い、物資を強奪するという方法を選んだのです。ヨーロッパの文化レベルは低くても、武器だけは進んでいたのです。長年戦争を繰り広げていたために、鉄砲と大砲の技術だけは発展していたのでした。

ヨーロッパ人はこのように武力を使ってアジア、アフリカ、アメリカを植民地化していったのです。大航海時代とは、豊かな文化を持っていたアジアやアフリカ、アメリカの地を、武力のみのヨーロッパ人が蹂躙していった時代だったのです。

そして当時のヨーロッパはハプスブルク家など10家ほどの王家が君臨していた時代でした。植民地も当然、王家のものになります。いわば、世界は10家ほどの王家と、彼らを取り巻く貴族や商人たちのものだったのです。

そして、ここがグレートリセットの「元」なのです。

グレートリセットとはヨーロッパの王家が君臨していた時代に世界を戻そうというものなのです。ですから、各国から再び主権を奪おうとしているのです。ヨーロッパ以外の国をいま一度植民地化し、人々を奴隷化することが目的なのです。

まさに、ヨーロッパの権力者にとっては「偉大なリセット」でしょう。

しかし、それ以外の人々にとっては「最悪のリセット」でしかありません。ですから、私たちは「グレートリセット」にノーを突きつけるのです。

ただし、現時点で私たちは少し安心していいと思います。なぜなら、「グレートリセット」はすでに失敗しているからです。実はここに気づいていない人があまりにも多いのです。

なにゆえ、失敗し、現状はどうなっているのか？　そして、今後の世界はどうなるのかについては次項で説明しましょう。

WEFは日本の植民地化を推進中

前項では「グレートリセットの正体」について解説するとともに、「グレートリセットはすでに失敗している」ということについて触れました。この項では、「なぜ、グレートリセットは失敗していると言えるのか」を語っていきましょう。

グレートリセットとは、ヨーロッパがアジアやアフリカ、アメリカに植民地を広げ、人々を奴隷化して世界の覇者になっていた大航海時代に戻すことを目的としているとお話ししました。ヨーロッパの王家10家ほどが文字通り、世界をその手に握っていた、ヨーロッパ人にとっての栄光の時代、グレートな時代に、リセットしようというのがグレートリセットの真意です。世界経済フォーラム（WEF）はこれを目論んでいたのです。

しかし、その企《たくら》みは失敗しました。これを言うと多くの人がキョトンとしますが、**グレートリセットはすでに失敗している**のです。

では、なぜ、失敗したと言えるのでしょうか？

たとえばそれは、ウクライナ戦争を見ていけばわかります。

当初数ヵ月もすれば終わると見られていたこの戦争は、２０２３年10月現在1年以上も続き、終息の形も見えてきません。その間に世界は大きく様変わりしました。

穀倉地帯だったウクライナが戦火にまみれることで世界的に穀物が品薄になりました。ウクライナに侵入したロシアを非難する西側諸国は、ロシアへの経済封鎖を行いますが、ロシアからの物資も止められてしまいました。天然ガスなどのエネルギー供給をロシアに頼っていたヨーロッパでは反対に困窮してしまいました。さらに、中国がロシア側につくことによって西側諸国と中露が対立する構図になってしまったのです。

ＷＥＦとすれば、たとえ、中露が手を組んだところで欧米が結束すれば負けるはずがない、そう高をくくっていたのでしょう。大航海時代に、アジア、アフリカ、アメリカを席巻した自分たちの力をもってすれば、植民地の人間などどうということはない、というおごりがあったのかもしれません。

しかし、蓋《ふた》を開けてみるとまったく違っていました。

そもそも西側諸国が肩入れするウクライナに味方する国々が、ＷＥＦが予測したよりもはるかに少なかったのです。

国連加盟国１９３ヵ国中、ロシアへの経済制裁を行ったのは約40ヵ国のみで、１５０ヵ国ほどはロシアとの取引を継続させていたのです。その１５０ヵ国とは中国、インドを筆頭にサウジアラビアなどの中東、アフリカ、南米諸国で、まさに大航海時代に欧米諸国が植民地化して食い物にしてきた国々ばかりなのです。

　ヨーロッパやアメリカの支配者たちがいくら旗を振っても、もう奴隷たちはついてこないのです。なぜなら、彼らはもう奴隷ではないからです。奴隷であることから抜け出す力を得てしまったからです。

　その証拠の一つがＧＤＰです。かつてＧ７先進７ヵ国の合計ＧＤＰは２０００年の時点で約65％でした。たった７ヵ国でほぼ７割の富を牛耳っていたのです。

　ところが、２０２３年３月現在はどうでしょうか？

　Ｇ７先進７ヵ国のＧＤＰ合計は約30％にまで落ち込んでしまったのです。その一方でブラジル、ロシア、インド、中国、南アフリカのＢＲＩＣＳ５ヵ国の全世界ＧＤＰ比率は31・５％と、たった５ヵ国でＧ７を抜いてしまっています。２０３０年には50％を超えるだろうという予想まで出ているのです。ロシアへの経済制裁参加国数やＧＤＰを見れば、一目瞭然でＷＥＦ側の目論見は失敗です。

図表1　この20年間でG7とBRICSの全世界GDPシェアが逆転！

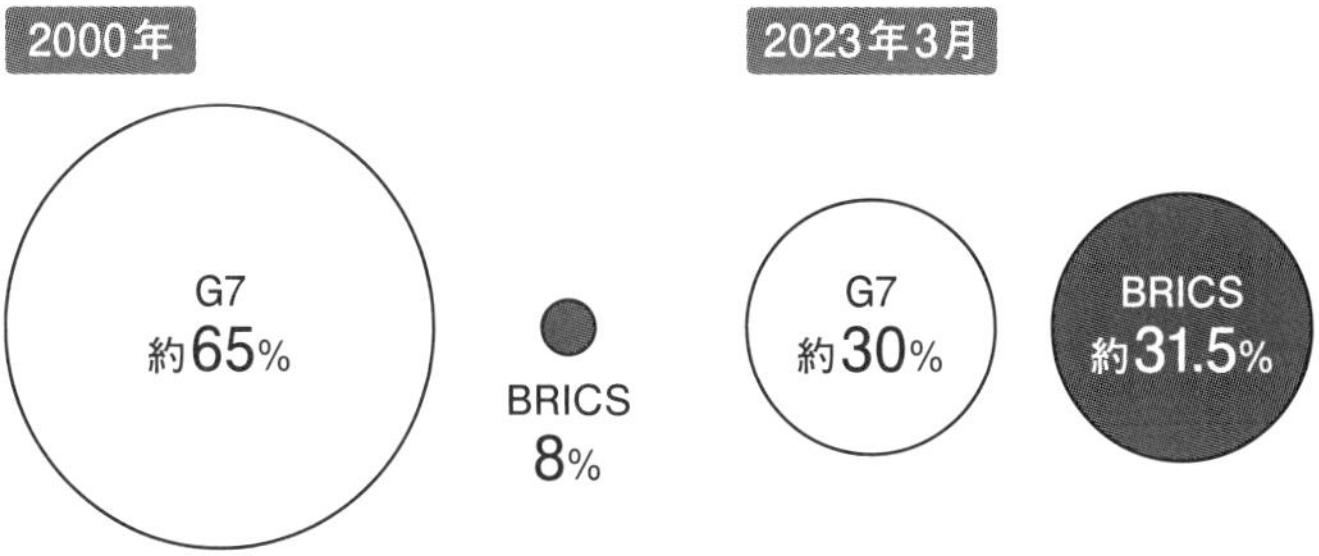

G7 （グループ7、主要国首脳会議）	日本、アメリカ、カナダ、イギリス、ドイツ、フランス、イタリア
BRICS （Brazil,Russia,India,China,South Africa）	ブラジル、ロシア、インド、中国、南アフリカ

失敗どころか、アメリカでは現在シリコンバレー銀行、シグネチャー銀行の経営破綻などが起こり、金融市場は混乱しています。アメリカの地方銀行ファースト・リパブリック・バンクから約10兆円の預金流出もあり、さらにシリコンバレー銀行が破綻した週にはアメリカの中小銀行全体で１２００億ドルもの預金が流出しています。

グレートリセットを企んだ人たちは、これまで世界を思い通りに動かしてきました。世界を破壊し、無価値に等しくなった企業や土地をあとから買収、回収して安値で自らのものにしてきたのです。

２０２０年には新型コロナウイルスも

登場させました。このウイルスを世界に蔓延させたと判断するしかないようなことを行い、製薬会社がつくり出したメッセンジャーＲＮＡ（mRNA）ワクチンの複数回接種を世界各国で義務付けるように動いたのです。

恐ろしいのはその際、各国のメディアや医学界をほぼ完全に掌握したことです。mRNAワクチンに関して疑問を呈する識者を一斉に排除したのです。かくいう私もその犠牲者の一人で、mRNAワクチンの危険性を地上波のテレビで語り、それはYouTubeでも公開されていましたが、注目度が上がったとたんにYouTubeから削除されてしまいました。

新型コロナウイルスにしても、当初から人工説があったにもかかわらず、つい最近までそれを語ることすらできなかったのです。情報統制をかけて、人工ウイルス説を唱える学者たちを排除したのです。元アメリカ疾病予防管理センター（ＣＤＣ）所長のレッドフィールド氏が「新型コロナウイルスは中国の研究所で発生し、流出した可能性が高い」などと語れるようになってきたのは２０２３年の3月です。２０２1年5月にはFacebookが「新型コロナウイルスが人工的につくられたという主張は今後削除しない」との方針を明らかにしています。つまり、裏を返せば、これまではずっと削除してきたということです。

彼らが情報解禁に踏み切った理由は、すでに複数回のワクチンを世界中の人々に打たせることに成功したからではないでしょうか？　今後は従順な奴隷国だけを選んで定期的にワクチンを打っていけば儲かると踏んだのでしょう。

このように、グレートリセットを目論んだ人たちは世界中のメディアを数年間にわたって完全にコントロールしていたのです。これだけの力をもってすれば、再び、大航海時代を迎えることができるだろうと、彼らは考えたはずです。

しかし、結果は違いました。

欧米諸国に奴隷のようにかしずいてきた国は、世界中を見渡しても日本くらいしかなかったのです。ほとんどの国は、グレートリセットを推進する国々や人々からそれなりに距離を保っています。特に資源を持つ国々は自国のリソースの使い方を考えたうえで、自国が有利となるような立ち位置を確保しようと懸命に模索しています。インドなどはロシアと欧米を天秤にかけながら、自国の立場を有利にしようと動いています。

では、日本はどうでしょうか？　mRNAのワクチン工場を誘致し、日本版ＣＤＣも設立するなど、ＷＥＦのアジェンダ＝植民地化を自ら積極的に受け入れてしまっています。グレートリセットは間違いなく失敗しました。しかし、日本では大成功を収めてしまったのです。

実はここにこそ、大きな問題があるのです。

なぜ政府は外国資本の顔色をうかがうのか？

日本はすでに外国資本に買われてしまっています。日本の上場企業のほぼすべてで30％以上の株を外資系ファンドが持っています。

たとえば、三菱重工の有価証券報告書（図表2）を見てください。従業員の持ち株1・65％を引いても30％超は外資系ファンドの所有です。小口で三菱ＵＦＪ銀行、みずほ銀行などのいわゆる預かり口座もありますが、そもそも日本の銀行自体がいまや30％超が外資になっています。

こういったことは前著『２０５０年衝撃の未来予想』（小社、２０１７）でも触れているのでご存知の方も多いと思いますが、三菱、みずほ、三井住友の三大メガバンクに共通している大株主のブラックロックは世界最大の資産運用会社です。同じく共通する大株主の日本マスタートラスト信託銀行はもとの名前はチェース・マンハッタン信託銀行で、ロックフェラー系の銀行です。日本カストディ銀行も、株主こそ三井住友信託およびみ

図表2　三菱重工業株式会社　有価証券報告書

2023年3月31日現在

氏名または名称	住　所	所有株式数（千株）	発行済株式（自己株式を除く。）の総数に対する所有株式数の割合（%）
日本マスタートラスト信託銀行株式会社（信託口）	東京都港区浜松町二丁目11番3号	53,706	15.94
株式会社日本カストディ銀行（信託口）	東京都中央区晴海一丁目8番12号	18,548	5.50
明治安田生命保険相互会社（常任代理人　株式会社日本カストディ銀行）	東京都千代田区丸の内二丁目1番1号（東京都中央区晴海一丁目8番12号）	8,002	2.37
野村信託銀行株式会社（退職給付信託三菱UFJ銀行口）	東京都千代田区大手町二丁目2番2号	6,526	1.93
STATE STREET BANK WEST CLIENT – TREATY 505234（常任代理人　株式会社みずほ銀行決済営業部）	1776 HERITAGE DRIVE, NORTH QUINCY, MA 02171, U.S.A.（東京都港区港南二丁目15番1号）	5,801	1.72
三菱重工持株会	東京都千代田区丸の内三丁目2番3号	5,561	1.65
THE BANK OF NEW YORK MELLON 140044（常任代理人　株式会社みずほ銀行決済営業部）	240 GREENWICH STREET, NEW YORK, NY 10286, U.S.A.（東京都港区港南二丁目15番1号）	4,843	1.43
STATE STREET BANK AND TRUST COMPANY 505225（常任代理人　株式会社みずほ銀行決済営業部）	P.O. BOX 351 BOSTON MASSACHUSETTS 02101 U.S.A.（東京都港区港南二丁目15番1号）	3,975	1.17
STATE STREET BANK AND TRUST COMPANY 505001（常任代理人　株式会社みずほ銀行決済営業部）	P.O. BOX 351 BOSTON MASSACHUSETTS 02101 U.S.A.（東京都港区港南二丁目15番1号）	3,824	1.13
JP MORGAN CHASE BANK 385781（常任代理人　株式会社みずほ銀行決済営業部）	25 BANK STREET, CANARY WHARF, LONDON, E14 5JP, UNITED KINGDOM（東京都港区港南二丁目15番1号）	3,760	1.11
計		114,551	34.00

（注）株式会社三菱UFJフィナンシャル・グループから、2022年9月20日付で株式会社三菱UFJ銀行、三菱UFJ信託銀行株式会社、三菱UFJ国際投信株式会社及び三菱UFJモルガン・スタンレー証券株式会社を共同保有者とする大量保有報告書の変更報告書が関東財務局長に提出され、公衆の縦覧に供されている。
しかしながら、当社としては、2023年3月31日現在の当該法人の実質所有株式数を完全に確認できないため、上記大株主の状況は、株主名簿の記載内容に基づいて記載している。

氏名又は名称	住　所	所有株式数（千株）	発行済株式総数に対する所有株式数の割合（%）
株式会社三菱UFJ銀行	東京都千代田区丸の内二丁目7番1号	6,526	1.93
三菱UFJ信託銀行株式会社	東京都千代田区丸の内一丁目4番5号	9,436	2.80
三菱UFJ国際投信株式会社	東京都千代田区有楽町一丁目12番1号	3,003	0.89
三菱UFJモルガン・スタンレー証券株式会社	東京都千代田区大手町一丁目9番2号	1,560	0.46
計		20,526	6.08

出典：「三菱重工業株式会社　有価証券報告書」

ずほ系ですが、ファンドの出資者は主に外資です。

この状況が日本の上場企業のほぼすべてで起こっているということです。

こうした話を私はかなり前からしています。『２０５０年衝撃の未来予想』以外の書籍でも書いていますし、ＴＯＫＹＯ ＭＸ（ＭＸテレビ）や講演会などでも何度も発言しています。しかし、ほとんどの人は私の話を聞き流してしまっています。「まさか？」と思っているのかもしれませんし、「日本の上場企業のほぼすべては大げさだろう」と思い込んでいるのかもしれません。

残念ながら、それは違います。私は何一つ大げさになど言ってはいないのです。


上場企業の代表としてソフトバンクを例にとってみましょう。

その株主構成を見てみると、40％をソフトバンクグループが所有していますが、ほかは日本マスタートラスト信託銀行、日本カストディ銀行、ステート・ストリート・バンク、ＪＰモルガンといった面々が並んでいます。40％を所有するソフトバンクグループの内訳を見てみると、オーナーの孫正義氏が29・16％で筆頭ですが、以下、日本マスタートラスト信託銀行、日本カストディ銀行、ＪＰモルガン、ステート・ストリート・バンクと続きます。孫正義氏がオーナーとして頑張っていますが、外資の影響を受けないわけにはいかないでしょう。

　では、ユニクロのファーストリテイリングはどうでしょうか？　オーナー家の柳井一族が多くの株式を押さえていますが、やはり、日本マスタートラスト信託銀行、日本カストディ銀行、ＪＰモルガンの勢いは小さくありません。

　オーナー家が経営から手を引いている、いわゆる大企業はどうでしょうか？

　販売台数世界一のトヨタ自動車は日本マスタートラスト信託銀行、日本カストディ銀行、ＪＰモルガンが上位です。ＮＴＴはどうかというと、ここでも日本マスタートラスト信託銀行、日本カストディ銀行、ＪＰモルガンの名がしっかりありました。

　マスコミがどうなっているのかも気になるところでしょう。

　日本テレビホールディングスを見ると、案の定、日本マスタートラスト信託銀行、日本カストディ銀行、ステート・ストリート・バンクの名がありました。もう一つ、フジテレビを擁するフジ・メディア・ホールディングスは、日本マスタートラスト信託銀行、日本カストディ銀行、ステート・ストリート・バンク、預かり口座として香港上海銀行といった状況でした。

　どこの企業も判で押したような株主構成であり、筆頭株主はほぼ日本マスタートラスト信託銀行なのです。

みなさんも一度調べてみるといいでしょう。Googleで「○○（企業名）有価証券報告書」と検索すると、有価証券報告書は誰でも簡単に閲覧することができます。目次で「株式の状況」もしくは「大株主の状況」を探してそのページを見れば、株主構成は一目瞭然で、まず間違いなく、日本マスタートラスト信託銀行の名前が真っ先に飛び込んでくることでしょう。日本の上場企業は、看板こそ違っていても中身はみんな一緒なのです。

ところで、ここで質問です。株式会社は誰のものでしょうか？

日本人の感覚では「会社は社員のもの」というものがあるでしょう。昭和の高度経済成長の頃、社長も社員も身を粉にして働いていました。会社を大きくすることが自分たちの生活をより良くすることに直結していたのです。終身雇用、モーレツ社員といった言葉がロマンチックに語られ、会社と社員は家族と言ってもさしつかえないほどのつながりがあったのです。

しかし、そういう形態が維持できていたのは社長がオーナーだったためです。オーナー社長が「わが社のいちばんの財産は社員だ」と言っていたからこそ、成り立つものでした。

しかし、現実は違います。法律上、株式会社の持ち主は経営者ではありません。会社の所有者は資金を提供した株主のものです。経営者はオーナーでない限り、株主から経営を委託されただけの存在でしかありません。そして、いまの日本の上場企業で経営者がオーナーである会社はほぼないのです。

つまり、日本の上場企業は日本マスタートラスト信託銀行や日本カストディ銀行、ＪＰモルガンのものなのです。

もちろん、彼らはいずれも信託銀行ですから、彼らがオーナーなのだとは私だって言いません。問題は誰が資金を信託しているのか？　ということです。

日本人では当然ありません。ウォールストリートなどの外資系ファンドが集めた資金が元になっています。これを指して私は外資だと言っているのです。

残念ですが、これが私たちの現実です。これがいまの日本の現状なのです。

なぜ、この国の政府が国民の顔を見ないで外国資本の顔色ばかりうかがうような政治をするのか？　その答えがこれなのです。

衝撃ですよね？　一瞬、絶望的になりますよね？

しかし、戦う術《すべ》はまだあるのです。

日本人の利益になる「無血革命」を起こす

日本の現状、日本の現実がどういうものか、理解できたでしょうか？

かなり外国資本に追い込まれている状況と言っていいでしょう。

世界経済フォーラム（ＷＥＦ）というただの企業の集まりに、世界中の大臣、総理大臣、大統領までもがこぞって出かけていく時代です。日本も例外ではありません。そこで決まったアジェンダに従って、自国を動かしているのです。民主主義の最大の敵は資本主義だと言っていた時代は終わり、いまや「**民主主義の最大の親分が資本主義**」の時代になってしまっているのです。

その最もわかりやすい例がCO_2の排出権取引です。CO_2を削減した企業や国からその削減分の排出権を買えば、買った分だけのCO_2が排出できるという取引ですが、そんなことをしたらプラス・マイナスゼロになってしまい、CO_2を減らす意味がなくなってしまいます。ところが、それについてＷＥＦは何も言わないのです。

戦争もそうです。彼らにとっては戦争も経済行為なのです。少なくとも近年のダボス会議の最大のテーマはウクライナという巨大な戦争利権です。ウクライナの復興利権の分配が狙いで、台湾有事も全部経済です。

もしかしたらコロナウイルスパンデミックすら経済の可能性があります。

なぜなら、ウイルスのミューテーション（突然変異）を追っていくと、武漢原株から自然にミューテーションするとは思えないような、人工的にミューテーションさせたとしか思えないようなコロナウイルスがいくつも見つかっているからです。そういうことが発覚してくると「国民が８億８２００万回打つまではパンデミックは終わってほしくないという人たちがいるんじゃないの？」とつい思ってしまいます。

こんな悲惨な状況をどうやって打開したらいいのでしょうか？

私は「革命」しかないと思っています。

と言っても、大規模なデモや暴動をやれと言っているわけではありません。逆に、近年の大規模なデモや暴動は認知戦（P.２２４参照）を仕掛けられていることのほうが多く、国の混乱を加速させるだけです。

そうではなく、革命は革命でも「**無血革命**」を行うべきだと言っているのです。それは根本の民主主義を取り戻す戦いになります。

具体案の一つは「国会を国民の手に取り戻せ」で、私たちの投票行動を明確にしていく。要は「**外国資本の息のかかった人間にはいっさい投票しない**」ことです。選挙の際には、外資の影響を受けている政治家には票を入れない、というのを徹底します。留学経験者や大企業出身の政治家はあやしいと思ったほうがいいでしょう。投票しようと思う候補者のキャリアをきちんと点検していくことです。

以前、私は「世襲議員に投票するな」と言いました。現状では「世襲でもいいから、外資と関わりのない候補」に投票すべきだと思います。それが民主主義を取り戻す第一歩。ＷＥＦに代表されるような、世界の大金持ちたちの利益になるために生きているような政治家に投票するのはもうやめましょう。ダボスに行ってきたことを自慢するような人になど絶対に票を入れてはいけません。もちろん、中国やロシアからなんらかの利益供与を受けている人も論外です。

世襲はいまでも反対ですが、それでも外資系企業にすり寄る人間よりははるかにマシです。ただし、外資系企業にすり寄る人間は世襲であることも多いのですが。

これからは政治家たちの日頃の発言もチェックしていきましょう。

外国人に有利になるようなことを言っていないか？　ＳＤＧｓやＬＧＢＴなどＷＥＦ

寄りの発言や、その逆に、中国経済寄りの話、たとえば、ソーラーパネルの推進などを語っていないか？　そういう人間はすべてアウトです。

原発推進をことさら掲げる人も私はあやしいと思っています。

かつて私は『超小型原子炉の教室』（サイゾー、２０２２）という書籍で、超小型原発であれば安全安心なエネルギーを確保できる、と主張しました。その思いはいまも変わりませんが、日本が導入を進めているのはビル・ゲイツ氏が開発を進める次世代原子炉のようです。三菱重工がライセンスして建設していく可能性が高まっています。

このビル・ゲイツ版原子炉は出力30万キロワット以上で、そもそも小型原発ではありません。これまでの原子炉は１００万キロワットのものばかりでしたから、それと比べればたしかに小型ではありますが、私が主張する安心安全な超小型原子炉は出力10万キロワット以下のものです。

これを従来よりは小さいから安全、次世代だから安全というのは詭弁《きべん》です。そもそもビル・ゲイツ版原子炉が推される理由は、安倍政権時代にらつ腕を振るった元経産官僚が三菱重工に天下ったことから起きているのです。

本当に安全な原子炉は電力中央研究所が東芝と共同開発している純国産の４ｓ原子炉

です。４ｓ原子炉であれば安心安全で、かつビル・ゲイツ氏にライセンス料を払う必要もありません。こういうものを推す政治家、知っている政治家を私たちは応援しなければいけません。誰もいなければ、積極的に情報発信していくべきでしょう。そして、それに賛同してくれる政治家であれば、応援するに足る、ということです。

無血革命は投票行動を変えるだけではありません。日頃の生活を変えていく必要もあります。外資系企業の製品を買わず、なるべく日本製品を買う。ＷＥＦに出席している企業の製品やサービスも外しましょう。安いからと言ってアジアの国々でつくられた衣類ばかりを買うのはそろそろ控えるべきです。

現状の**日本の問題点は、国の上に多国籍企業が、グローバリストたちがいる**、ということです。それを意識するだけで、自分がいま何をするべきか、何を選ぶべきかが自然に見えてくるはずです。

最後になりますが、朗報を一つ。日本の上場企業はほとんどが外資になっていると前項で書きました。しかし、私たちの生活は大きくは悪化していません。

なぜなら２０２１年の時点で、日本の企業約１８８万社のうち上場企業は約３８００

社と、わずか0・2%だからです。

99・8%の企業は外国資本とは関係なく健全な経営を行っています。外資に買われてしまった上場企業の経済規模の大きさはかなりネックですが、私たちにはまだまだ力がある、ということです。要は、やり方はまだいくらでもある、ということを自覚してほしいのです。

「本当のエコ」で日本を取り戻せ

「無血革命」の次のステップは、「民主主義という日本の牙城を守りながら、国産および地産地消を実現させる」となります。地産地消は「国内生産、国内消費の道をわれわれは歩もう」ということですが、「なんだ、食料自給の話か」と思ったら大間違いです。私はエネルギー、資源の安全保障も含めた自給について言っているのです。最終的には原子力発電にも火力発電にも頼らない国を目指すのです。

どうでしょうか？ 「そんなこと実現できるわけがない」と思いませんでしたか？

しかし、だからこそ革命なのです。

日本に民主主義を取り戻すのです。戦うべき相手はグローバリストたちです。世界の経済を動かす人々です。リヴァイアサン級のモンスターが相手なのですから、私たちの覚悟のほども問われるのです。

ただし、戦い方はシンプルです。エネルギーを使わないことです。会社経営と同じで、会社が赤字の場合は支払いを小さくすればいいのです。国もそうで、税金が少なかったら財政を小さくすればいいのです。

ところが、国も企業も常に大きくすることしか考えていません。エネルギーが足りないのであれば、エネルギー消費を減らせばいいだけです。なのに、代替エネルギーなどと言い出すから話がおかしくなるのです。

一言で言えば、「節約」です。

ただし、無意味な節約はいりません。かつて夏の電力供給が追いつかないとなったとき、室温を26度から28度にしましょう、といったキャンペーンを政府はしました。ああいうことはやる必要はありません。あんなことをしても節約できる電気量は微々たるものです。

それよりも電気自動車を禁止するべきでしょう。なにしろ、テスラの電気自動車１台でエアコン３００台分の電気量を消費するのです。

電気の消費量が少ないと言われる日産リーフですらエアコン30台分です。ポルシェの電気自動車タイカンなどはエアコン約1万台分を最初の加速のときに消費します。

ですから、エアコンの設定温度を上げたりする前に電気自動車の使用をやめるべきなのです。

だいたい、化石燃料による火力発電比率が83・4%の日本で電気自動車を走らせることは、発電効率から言って、化石燃料をより多く燃やすことになるだけです。

結局、こういうデタラメがまかり通る裏には原発再稼働利権や電気自動車利権があるからです。原発再稼働にはプルトニウム、ウラニウムの問題があって、これらを海外からの輸入に頼っている限り、原発はエネルギーの自給にならないのです。

原発の技術も海外のライセンスで、海外への依存になってしまいます。単に物理的な問題だけではないのです、安全保障の問題は。

同じような問題は火力発電でも起きてきます。石油の海外への依存は太平洋戦争の引き金になったほどの安全保障上のリスクです。

当然、火力発電も禁止にしたいところです。

しかし、原子力はともかく、火力発電まで止めてしまったら日本の経済は完全にストップするうえ、日本人の生活も江戸時代のようになってしまうのではないか？　と懸念される人も少なくないでしょう。

心配ありません。すでに私は解決策を打ち出しています。それが日本のスギの木を燃やす「本当のエコ」です。詳しいことは拙著『地球にやさしい「本当のエコ」』（サイゾー、2021）を読んでください。

簡単に説明すると、日本の山には木材として使われていない人工林が膨大にあります。その幹の体積総量は21億立方メートルにものぼります。しかし、人工林を切って木材にするというビジネスは日本では成立していません。政府からの補助金で人工林を管理しているだけです。これが日本の林業です。

この人工林を切って薪にし、燃料とするのです。各家庭に薪ストーブを導入してもらい暖房として使います。導入には政府から補助金を出してもらいます。これで冬季の燃料自給は大幅に上がるはずです。

薪のストックですが、幹の体積総量が21億立方メートルあれば、すべての日本の家庭が薪ストーブ化しても44年もつ計算です。また、伐採と同時に植林をしますから木材の量は減ることはありません。40年でスギは成木に生長します。そもそもスギの代わりにナラやブナなどの広葉樹を植えれば10年、20年で生長します。もともと日本の森はナラやブナが主でしたし、薪の材料としても広葉樹のほうが適しています。スギ花粉も出ませんから広葉樹の植林は一石三鳥なのです。

図表3　薪ストーブを導入すれば、全国民の暖房を今後44年間まかなえる

【計算式】

- 日本の人工林の森林蓄積（幹の体積総量）＝ 21億m^3
- 1m^3=800kgで換算
- 最新蓄積型ストーブで、全国平均1世帯当たり1日7kgの薪を消費する。
- 日本の世帯数＝5,430万世帯

として計算すると、21億m^2×800kg÷7kg÷5,430万世帯＝4,419
（日本の全世帯で4,419日分の暖房燃料があるということ）
さらに、薪ストーブの稼働日数を、全国平均年間100日として計算すると……
4,419÷100＝44.19
つまり、全国民の暖房を44年間まかなえる。

CO_2の排出に関しても伐採して若木にしたほうが光合成の効率がいいのです。いまの薪ストーブはＣＰＵ制御式なので不完全燃焼による有害物質も出ません。

スギの代わりに生長の速い広葉樹にすれば、資源に余剰が出ます。これを火力発電の燃料にすることも可能になります。エネルギーの自給自足になるのです。

もちろん、夏場はどうするのか？　などの問題はあるでしょう。夏場はクーラーを使う必要はありますから。

しかし、冬場のエネルギー自給ができるだけでもいまよりはるかにいいはずです。一気に変える必要もありません。30年くらいかけて少しずつ移行していけば、決して無理ではないはずです。

ただし、それでも反対する人は多いと思います。たぶん「薪が燃料」というのがどうしてもイメージできないのでしょう。しかし、火力発電の燃料として注目されている木質バイオマスは木材を高密度に圧縮した木質ペレットです。日本はこれを２０２２年現在で４４１万トン輸入しています。今後８５０万トンまで増やすと言われていますが、人工林を使って日本でつくればいいのです。すでに国産木質ペレットに取り組んでいる人たちもいます。政府が人工林をエネルギー自給化の一つの柱にすれば、あっという間に低価格、高品質の木質ペレットが国産で誕生するでしょう。太陽光発電や風力発電など、日本の風土に合わない代替エネルギーなどよりもはるかに高効率、低価格になるはずです。

食料の自給はよく言われます。それはもちろん当然の話ですが、エネルギーの自給もできるのです。少なくとも自給率の大幅アップは可能なのです。人口減少に拍車がかかり縮小する国が自給率を上げることは国を守ることになります。

反対するのはグローバリストおよび彼らにくみする日本人だけです。彼らには血を流してもらいましょう。しかし、日本を愛する日本人はいっさい、傷つくことがない、これが「無血革命」の中身です。

第2章

世界とはこう向き合おう

そもそも「世界」は信頼できるのか？

私たち日本人は国際的組織、世界的機関に対する信頼度が高い民族です。代表例がＳＤＧｓへの信用度です。これは２０１５年ニューヨークの国連本部で開催された「国連持続可能な開発サミット」で採択された、「人間、地球及び繁栄のための行動計画」です。２０２１年には世界経済フォーラム（ＷＥＦ）でも、「２０３０年までに実現させる目標」として掲げられました。

これを受けて日本では経済産業省が中心となってＳＤＧｓの推進を行い上場企業のほぼすべてで努力目標になっています。いまでは義務教育の一環として学校の各教科で教えているほどです。「国際的に決まったこと」「世界が認めたこと」といったものに素直に従うところがあるのです。

その素直さは洗脳用語であるトリガーという言葉を思い出すほどです。トリガーとはあらかじめ洗脳しておいた記憶を呼び出すためのきっかけとなる言葉や動きのことを言います。日本人にとっては「国際的」「世界的」という言葉が完全にトリガーとなっているとしか思えないようなところがあります。

国際連合（国連）はその最たるもので、日本人は国連を必要以上に尊重し、まるでアメリカ、ロシア、中国といった大国を含めた世界の国々の、そのまた上に君臨する世界政府のような感覚を持っています。国連＝世界政府というのは別の意味で間違ってはいません。しかし、日本的な感覚で言う世界政府とは世界が統一された素晴らしいものという感覚で、各国はそれに従っていればいいというものではないでしょうか？

かつて日本の大物政治家が自衛隊を国連に貸し出して国際軍にすればいいと語ったことがありました。そういう発言も国連をあまりにも信頼し過ぎているためのものでしょう。しかし、国連には敵国条項（国連憲章53条、77条、１０７条）があります。敗戦国（枢軸国）側の日本は国連にとっていまだに敵国なのです。よって、ある日、突然、敵国条項が発動され、日本の政治家が言う国際軍が動き出したら、日本の自衛隊が日本を攻める可能性も十分にあるのです。そのことを考えたことはないのでしょうか？

私たちはそろそろ気づかないといけないのです。「世界」「国際」というものが幻想であり、最初から存在しない、ということを。何か大きなものに寄りかかることで安心を得ようとする体質をあらためる必要があるでしょう。「国際」「世界」という言葉に過度に期待を寄せる体質は、それこそ「国際関係」においてはタブーと言ってさしつかえないでしょう。

特に、現代はそうです。

いま「世界」「国際」と名が付く機関や組織は、さきほど言った別の意味での世界政府になりつつあります。

その象徴的なことがもうすでに起きているのです。

２０２２年ウクライナ戦争がロシアとウクライナの間で起きました。西側諸国は一斉にロシアを非難し、ウクライナへの援助を始めます。

そういう状況のなかで、国連人権理事会が開かれ、ロシアの外相が参加各国の前でビデオスピーチをすることになりました。すると、出席していた各国の大使が一斉に、議場を去ってしまったのです。

戦争というのは人道的には許されざるものです。しかし一方で、日本を除くすべての国に認められている外交手段の一つです（日本の戦争をする権利は前述した敵国条項によって国連では認められていません）。

国連はロシアの話もウクライナの話も聞くべき立場にあるでしょう。なぜなら、国連憲章には国連の目的としてこのように規定されているからです。

「国際の平和及び安全を維持すること。そのために、平和に対する脅威の防止及び除去と侵略行為その他の平和の破壊の鎮圧とのため有効な集団的措置をとること並びに平和を破壊するに至る虞《おそれ》のある国際的の紛争又は事態の調整または解決を平和的手段によって、且つ正義及び国際法の原則に従って実現すること。」（国連憲章１条１項）

〝国際的紛争の調整または解決を平和的手段によって実現〟するためには、ウクライナの言い分だけでなく、ロシア側の言い分も絶対に聞くべきです。

しかし、国連はそれを放棄してしまいました。各国の大使たちがロシアの話など聞きたくないと感情的になって席を立ってしまったのです。しかも、一斉にです。

この一斉というのがとても危険なのです。

そのときの国連会議には１００ヵ国以上の大使が集まっていました。なかにはロシアに同情的な国もあったでしょう。ところが、そういう意思表示もできなかったのです。これがどれだけ恐ろしいことか、わかりますか？

明らかにロシアを孤立させる、なんらかの意志が働いていたということです。

しかも、その意志に国連加盟国のほぼすべてが従ったということです。

もはや国連は、公平性が担保された世界的に開かれた話し合いの場ではありません。そう思っているのは日本人だけです。各国はとっくに、ある意志に従うことを選んでいるのです。


では、「ある意志」とはなんでしょうか？

それは世界経済フォーラム（ＷＥＦ）を動かしているものと同じものでしょう。ＷＥＦのアジェンダと国連のアジェンダは、ＳＤＧｓ、地球温暖化、移民政策などかなりの部分で重複しています。

「世界」という言葉、「国際」という言葉は、いまや信用できないものの代表なのです。

これまで日本人は国際機関の言うことや、やることを金科玉条《きんかぎょくじょう》のように盲目的に遵守してきましたが、これからはそれを捨てなければいけません。

むしろ、彼らが言うこと、やることは日本人のためにならないことのほうが多いでしょう。すべてを信用するなとまでは言いません。ただ、これからは**必要な距離感を持って「世界」と向き合うことが大切になってきます。**

アメリカの民主主義の本性を知り、正しい距離感をつかむ

新しい日本を考える場合、アメリカとの関係はやはり重要です。よきにつけ、悪しきにつけ、アメリカとの関係をおろそかにする選択肢は、いまの日本にはないでしょう。であるのに、私たちはアメリカのことをよくわかっていません。「しょせん、日本はアメリカの属国だ」などと嘆いてみたり、逆に「アメリカの言いなりにはならないぞ」と過剰に反米になってみたりで、正しい距離感がつかめていない人が多い気がします。

そもそもアメリカは民主主義の国です。人々の権利、自由を大切にし、守ることを標榜しています。そのなかでも、リベラルと呼ばれる人たちは民主主義の価値がすべてに上回ります。

だからこそ、リベラルが強いときのアメリカは、世界中で戦争をするのです。彼らい

わく「民主主義を守るため。人々の自由を守るため」。しかし、武力による紛争への介入は、民主主義でしょうか？　はたして本当に人々の自由を守っているでしょうか？

　アメリカがリベラル支配だったときのイラク戦争では、大量破壊兵器があるとして国連決議を無視する形で侵攻を行いました。イラクの人々から見れば、イラク人の自由を侵害したのはアメリカのほうです。事実、戦争後にいくら調べても大量破壊兵器は見つかりませんでした。

「軍産複合体が戦争を欲したから戦争は起きるのだ」と言うのは簡単です。事実、それが戦争の大きな理由であることは否定できません。

　しかし、ベトナム戦争にしろ、イラク戦争にしろ、アフガニスタン紛争にしろ、結局アメリカは何か得たのでしょうか？　あれだけの兵器と兵士を投入しながら何か、目に見える物理的なもの、たとえば、領土か何かを獲得したのでしょうか？

「だからこそ軍産複合体が暗躍し……」と言いたくなるのもわかるのですが、「根本的に不思議じゃないですか？」と私は聞きたいのです。

　アメリカという国の不可解さです。なぜか、リベラリズムのためには戦争をする国です。いびつさと言ってもいいかもしれません。

アメリカ以外の国はここまで戦争を繰り返しません。戦争をする場合、たいていは領土の獲得のためです。ロシアや中国はそのために他国に侵攻しています。

ところが、アメリカは「自由のため」に戦争をするのです。「民主主義のため」に戦争をするのです。もちろん政権がリベラル支配のときという限定付きではありますが。

あらためて考えてみると、これは異常なことではないですか？

現在、民主主義の定義はとても曖昧です。基本的には組織の構成員が最終決定権を持つ政治体制のことを言いますが、ナチス・ドイツも民主主義によって誕生した政権です。民主国家の数だけ民主主義はあると言ってもいいほど、国によって民主主義の定義はまちまちです。つまり、リベラルなアメリカが守ろうとしている民主主義とは、アメリカが考えるアメリカ型民主主義なのです。

問題はどのような民主主義なのか？　という点でしょう。

リベラル支配のアメリカ型民主主義の大きな特徴は「自らの正当性」にあります。アメリカの行動原理は常に〝正しさ〟を必要とします。「自分の主張が正しい」からこそ、他国の揉めごとに平然と介入できるのです。

朝鮮戦争でもベトナム戦争でもイラク戦争でも常にそうだったはずです。民主主義を守るために武器を取る。言葉にすると、とてもヒロイックでセンチメンタルですが、正しいかどうかはとても主観的です。言葉を換えれば独善的なのです。

彼らは信教の自由は認めるのですが、一夫一婦制でなければ、野蛮だという言い方をします。ある宗教では妻を複数持とうとOKという教義もあるのですが、そういうところは最終的には認めないのです。

リベラルアメリカ型民主主義はアメリカリベラル派の言い分が正しい、という信条が根本にあり、これを伝えることが、つまり、アメリカのやり方を押し付けることが、アメリカの言う「民主主義を守る」ということになるのです。

大切なのは「信条」であり、現実がどうなっているのかはあまり興味がないのです。信条というのは心の問題です。イコール情報空間であり、メタバースの世界です。現実がどうなろうと、他国が滅びてしまおうと、民主主義＝アメリカの言い分が通ればそれでいいのです。

実はこれは、いまのアメリカ国内でも起きていることです。移民や難民はかわいそうだから無条件で国内に入れましょう。そのスローガンが認められるなら、彼らがホームレス化、暴徒化し、多くの問題を引き起こしているという現実には目をつぶるのです。

そもそもの話、アメリカは建国のときからそうでした。

イギリスのピューリタン（清教徒）が自由を求めて北米大陸に渡り建国した国がアメリカです。そういうふうに言われています。

しかし、現実には先住民族のネイティブ・アメリカンを殺し、その土地を奪いつくった国がアメリカです。自分たちの自由は大切にするが、異民族の自由には頓着しないのです。本音と建前が大きく乖離《かいり》している国です。しかも、建前のほうを大切にします。

なぜ、いま欧米では国民を不幸にし、置き去りにするような政策が増えているのかと言えば、**リベラルアメリカ型民主主義＝スローガンさえ民主的であれば結果は問わない、という考え方がはびこっている**からではないでしょうか？

リベラル支配時のアメリカはこういう民主主義を世界に広げようとしているのです。

そして、日本はそういう国を同盟国にし、国防の重要な部分を担ってもらっています。当然、アメリカ型民主主義をより浸透させてくるでしょう。そして、それを守るという大義名分のもとに、日本に直接的な負担を求めてくる可能性は十分にあるでしょう。

アメリカが言う自由、民主主義というものの、これが正体なのです。これを知らなければアメリカとの正しい距離感はつかめないのです。

すべてが金を基準に動く国にしない

今後、世襲を認める国はつぶれていきます。その代表は日本……と思ったかもしれませんが、いちばんはアメリカです。

お金と権力の世襲を徹底的に肯定しているのがいまのアメリカです。

たとえば、アメリカの建国の父として知られるピルグリム・ファーザーズ（巡礼始祖）の子孫がいまだにアメリカでは名士です。これは実際に私が中学生時代、アメリカ在学中に実体験しています。同級生の一人がピルグリム・ファーザーズの子孫というだけで学校では大きな顔ができていたのです。家も高級住宅街の一等地で裕福な暮らしをしていました。

ピルグリム・ファーザーズたちがメイフラワー号に乗ってイギリスからアメリカに渡ってきたのは１６２０年のことです。いまのアメリカの礎《いしずえ》を築いた彼らは先行者利益を独占し、いまでも栄えているのです。

ピルグリム・ファーザーズ

有名なロックフェラー家もそうです。ロックフェラー家はずっとアメリカを支配してきたファミリーで、次の大統領を誰にするのかを裏から操ってきたような一族です。ロックフェラー家が認め、ロックフェラー家が資金を提供しなければアメリカで大統領になるのはむずかしいのです。

しかし、そんな彼らも遺産相続となるとそれなりに頭を悩ませていました。私が三菱地所時代にロックフェラーセンターの買収に関わっていたことはいろんなところでお話ししてきました。その当時、私はデイビット・ロックフェラー氏とはちょっとしたお茶飲み友達でした。そのお茶飲み話でデイビットが話してくれた印象深い話はロックフェラーセンターを売却する理由です。それは孫たちのためでした。「私には孫やひ孫が何十人もいて、彼らに遺産相続するために、いまキャッシュが必要なんだ」というものです。

当時、〝世界皇帝〟とも呼ばれたアメリカの陰の王様ロックフェラー家の当主でさえ、子孫に財産を残すことをあれこれ考えていたのです。

ロックフェラー家がここまで台頭していなかった時代はピルグリム・ファーザーズがアメリカの伝統として富と権力を世襲として握っていました。

いい悪いは別にして、彼らは国をつくったパイオニアたちです。そこには彼らなりの自負と責任があったのです。そういったものを財産と同時に世襲していったのがピルグリム・ファーザーズたちだったと言っていいでしょう。彼らによって民主主義は世界で最も進化し、そこに自負と自信を持っていた時代がアメリカにはあったのです。

ところが、いまのアメリカはどうでしょうか？

各地で拡大させていた戦争から手を引くのはいいとしても、引き方があまりにもひどいでしょう。アフガニスタンからの撤退では現地にアメリカの協力者を置き去りにするだけでなく、アメリカ人すら残してきてしまいました。これは国家的な見殺しと言っても過言ではないでしょう。

ウクライナ戦争でもリベラルの大統領が「米軍は動かない」と発言してロシアの侵攻を結果的に誘発してしまいました。

かつて民主主義の守護者として世界に君臨していた国とは思えない、自分勝手な行動が目立つようになっているのです。

私は世襲をまったく認めません。しかし、それは世襲が持つ利点も理解したうえでの「認めない」という意味です。世襲が持つ利点は、代々その家が持っていた社会に対する責任です。その責任を伝えていくために財産と権力をセットにしたのが本来の世襲というシステムです。

しかし、いまはアメリカもヨーロッパも、そして日本も、世襲の本来の意味が伝わっておらず、ただただ財産と権力だけが伝えられているのです。形骸化した世襲システムは社会にとって災厄以外の何ものでもありません。

実際、いまのアメリカを見てください。どう見ても一部の利権に支配された国になってしまっています。

お金のために選挙を操作し、お金のためにメディアを抱き込み、お金のために戦争を始めています。

そんな人たちが支配する国が栄えるわけがないのです。いまのアメリカは内部でさまざまな分断が始まっています。南北の分断、移民とアメリカ人との分断、ＬＧＢＴを巡る分断など、あらゆる分断が火を吹いています。

今後はこれが世襲となって続いていくのです。

どう考えてもそんな国はつぶれていくでしょう。国家としては残るでしょうが、その支配者は一部の利権を支配する人々になってしまうのです。それはＧＡＦＡに代表されるような超巨大企業、超国家的勢力です。

恐ろしいことにいまの日本はそんなアメリカをお手本にしようとしています。

日本はすべてが金を基準に動く世の中をつくろうとしています。政党は所属する国会議員を政党助成金で縛っています。党の方針に従わなければ政党助成金はもらえず、選挙で戦えないので反抗はできません。

国民の投票行動も、いまや広告代理店にお金を払って操作しています。広告代理店はメディアを牛耳っていますから、メディアもそれに唯々《いい》諾々《だくだく》と従ってしまうのです。

なにより恐ろしいのは、日本のトップは自身の金と権力のために振り回されてさえいないということです。自己保身のために欧米の権力者たちの言葉に喜んで従っているのです。

そして、その欧米の権力者たちは、戦争や疾病の流行も金儲けになると考えるような人々なのです。

彼らは国がつぶれてもいいのです。超国家的勢力はむしろ国がつぶれたほうが稼げます。国がつぶれて人々が貧困になれば、安い賃金で働かせることができるのですから。

いま世界では世襲よりも恐ろしい、超国家的勢力が台頭してきています。みなさんもそれをヒシヒシと感じているのではないでしょうか？

はたして、それを止める手段を私たちは持っているのでしょうか？

現代の錬金術師たちとの戦い方

私がなぜ、ＧＡＦＡに代表されるようなテック企業の大手をよく言わないのか、その理由をお話ししましょう。

それはお金の集め方が限りなく詐欺《さぎ》に近いからです。

１９９０年代、アメリカの東海岸でトップクラスのエンジニアを集めて、私たちは技術開発をやっていました。この技術開発に投資をしてもらうためには先進技術のプロトタイプ（試作品）をつくり、理論もできた段階で投資家たちに見せて資金を募るのです。これがごく当たり前のやり方です。ところが、これには開発までの時間がかかります。

そこで西海岸のシリコンバレーでは技術の開発をするのではなく、金集めの新しい方法を生み出しました。

その方法とは会社を先につくってしまいます。そこにいるのは弁護士と会計士、そして有名経営コンサルタントです。技術開発の会社なのにエンジニアがいないのです。

エンジニアを持たない彼らが何をするのかというと「これからこういうものをつくり

ます」といって投資家を回るのです。プロトタイプも理論も何もありません。あるのは「つくります」という言葉だけ。しかし、将来の収支なんかもしっかり書いてあるのです。

それを見て納得した投資家が金を出すと、その金でシリコンバレーを回って有能な技術者を集めて「こういうもの」をつくるのです。

当時から、私たちはこの詐欺的なやり方を「Paper Ware（ペーパー・ウェア）」（書類だけで実体のないソフトウェアの意）と呼んでバカにしていました。ところが、現実にはこれで売り物ができてしまうのです。東海岸同様、シリコンバレーにも優秀な技術者が世界中から集まっていましたから、金を数十億も投入すれば半年後にはたいがいのものが形になったのです。

私も実際に体験したことがあります。私たちの会社がつくったある技術をＭ社とＳ社にライセンスしようとしました。

そこにシリコンバレーの競合会社がライバルとして現れました。説明を聞くと素晴らしいシステムを持っているようです。しかし、実際のものを見せてと言うと５００万円払わないと見せないと言います。私は「明らかにペーパー・ウェアだからやめたほうがいい」とアドバイスしたのですが、Ｍ社もＳ社もその技術に興味を持ったようで、なんとＭ社は５０００万円払って見せてもらったそうです。結果は「もぬけの殻でした」。ということで私の会社とライセンスしました。一方、Ｓ社は50億円でシリコンバレーの会社を買収したようです。はたして半年経ってもシリコンバレーの会社は技術を完成できなかったようで、Ｓ社は結果的に詐欺に引っかかってしまったようでした。

　これがいまのＩＴ企業のビジネスのやり方なのです。仕事のやり方、企業風土そのものがこれまでとはまったく違うのです。

　私たちから見れば詐欺にしか思えないようなやり方で金を集め、結果的にうまくいっているだけなのです。実際、うまくいかなければ彼らは逃げるだけで何の責任も取りません。

　金融市場にしてもそうです。

　２０００年頃に上場したＩＴの大手企業は、いま言ったようなやり方でお金を調達していました。開発などはせずに、株式交換を次々とやって時価総額を上げていきました。これも詐欺に近い行為です。「こういう開発をするからこれだけの金がいる」と言って投資家から金を受け取っておきながら、よその会社と株式交換して合併するというのは話が違います。投資家とすれば、「だったら、そっちのよその会社に投資するよ」という話になってもおかしくないからです。

しかし、いまは企業も投資家も慣れたもので、時価総額を上げるために資本金を調達するのがおかしなことではなくなっています。投資をするほうも、自分たちが投資した株価の価値が上がるのでウェルカムなのです。

朱に交われば赤くなるではないですが、一度、お金の味を覚えると忘れられなくなってしまうのでしょう。本来、投資は設備投資のためだったのが時価総額を上げるだけのマネーゲームになってしまっています。虚経済がふくらむ一方で、実体経済はますますシュリンクしていきます。彼らによって世界は貧しくなっているのです。国家も息の根を止められていくでしょう、それがアメリカであってもです。

そんな世界で私たちはどうすればいいのでしょうか？

何か手立てはあるでしょうか？　とりあえず、日本の政治家、官僚、財界、メディアたちが選んだ選択は、マネーゲームに加わるというものです。ウォールストリートに尻尾を振り、世界経済フォーラム（ＷＥＦ）に忖度《そんたく》するという選択です。

超国家的勢力に額《ぬか》ずいて、中身を精査しないまま彼らの意のままに、電気自動車を推進し、ワクチンを複数回国民に打ち、コオロギ食を推奨する道です。

日本のトップが、外の権力者のために、国土と国民を生贄《いけにえ》にすると決めてしまったなかで、われわれ国民はどう抗えばいいのでしょうか？

その方法ですが、私はあると思っています。

いますぐというのはむずかしいでしょうが、20年、30年かけてひっくり返す方法があるのです。

それが**国民主権**です。この国は国民主権とされていますが思想上の言葉でなく、実際に私たちの手に国民主権を取り戻すことがこの国を取り戻す方法です。そして、その方法が1章（P.39参照）でお伝えした「無血革命」ということになりますが、それとは別に私たちが日々の生活のなかで積極的に仕掛けていく方法がありますので、次項でお話ししましょう。

国民不在の政治を変える「有権者の言葉」

前項で「国民の手に政治を取り戻すため、日々の生活のなかで積極的に仕掛けていく方法がある」と書きました。そのやり方をお話ししましょう。

まず、私たちの戦う相手は超国家的勢力に額ずいている政治家や財界、官僚、メディアたちです。彼らは完全に外国勢力に支配されています。日本政府はそれを助けることはしても、防ぐことはまったくしていません。

では、具体的に彼らは何をしているのかというと「**認知戦**」です。認知戦をわれわれに仕掛けているのです。

認知戦についてはその概要を別項（Ｐ.２２４参照）で説明しています。詳しくはそちらを見てほしいのですが、認知戦の特徴は最初に自国民に仕掛けるという点です。まさに、日本政府はこれをずっとやってきています。古くは１９９０年代で、まだ認知戦という概念すらなかった頃です。日本政府による自国民への攻撃ということであれば、私はバブルの崩壊を仕掛けた総量規制の頃からではないかと感じています。

総量規制というのは国際決済銀行（ＢＩＳ）によって決められた自己資本比率８％以上という枠組み（いわゆるＢＩＳ規制）で、融資額に対して銀行は自己資本が８％以上ないと貸出ができないというものです。これによって銀行の貸し渋り、貸しはがしが続出し、一気にバブルがはじけたのです。

しかし、これは日本にとってまったく必要のないものでした。そもそもＢＩＳ規制は国際決済をする銀行に適用されるもので当時、国際決済をしていた銀行は東京銀行だけでほかの銀行はまったく関係ありませんでした。国内の決済だけをしている銀行は、自己資本比率は４％でよかったのです。それを当時の大蔵省は日本のすべての銀行に対して８％の自己資本比率を義務付けたのです。

しかも、ＢＩＳ規制は各国の反対も多く、具体的な内容はなかなかまとまらず、導入も国によってまちまちでした。ところが、大蔵省はＢＩＳ規制の概要が決まった１９８８年から移行措置を進め、90年に総量規制という名でＢＩＳ規制が導入される以前に、世界に先駆けていち早く、銀行の規制を始めてしまったのです。バブルの崩壊、つまり日本経済の崩壊は大蔵省によって画策されたと言っても決して過言ではないのです。

その後、総量規制を行った大蔵省の役人はＢＩＳや国際通貨基金（ＩＭＦ）など、国際金融のトップ組織の役員に〝出世〟していったのです。

こういった日本政府による国民への攻撃はその後、30年以上続いています。これが「失われた30年」と言われるものの正体なのですが、近年、その攻撃は加速しているように感じませんか？

特に、コロナパンデミックが始まった２０２０年からは、ワクチンの複数接種の事実上の強制やロックダウンによって日本の経済はさらに痛めつけられました。

ところが、日本政府はその反省をするどころか、国民を言いなりにさせることに味をしめたかのように、マイナンバーカードの導入やmRNAのワクチン工場の日本誘致など、自国民の顔を見ていない政策を次々と繰り出してきます。

しかし、そのやり方はあまりにもずさんで、特にマイナンバーカードは返納騒ぎが起こるなどほころびが出始めています。

つまり、彼らがこれまで仕掛けてきた認知戦が馬脚をあらわしてきているのです。

そういう状況下で私が提案するのは、私たちのほうから「認知戦を仕掛けていく」ということです。

具体的には国会議員に対して認知戦を仕掛けます。

「そんなことが私たちにできるのか？」と思ったかもしれませんが、国会議員などの政治家は選挙で負ければ〝ただの人〟です。選挙権を持つ人の「言葉」には基本的に弱いのです。

実は、私たちの「言葉」には強い攻撃力があるのです。どれくらい強いのかというと、〝私たちが洗脳されるくらい〟です。

これまで私たちはさまざまなメディアを通じて、自らの意見を形成してきました。「ワクチンを打つのが正しいのです」とメディアや政治家に言われれば、「それが正しいんだ」と判断してワクチンを打ちました。誰かの意見に従っていたのです。

なぜ、従うのか。「この人の言うことは正しい」と自分で判断しているからです。これを内省言語と言います。「この人の言うことは正しい」と思った瞬間、「私もワクチンを打たないと。ワクチンを打たない人はそんなこともわからないのか。付き合うのをやめよう」などといった言葉が次々と湧き上がり、言葉によって行動を支配されてしまうのです。

これが認知への攻撃です。認知戦とは外側から一つのきっかけを与えられることで、内省言語を発生させて自分で自分を洗脳することなのです。

別の言い方をすれば、「私たちの現実とは、外側の言語を取り込むことによって内省言語がつくり上げた現実」ということになります。

私たちがなぜ、ワクチンを複数回打たなければいけないと思い込んでしまったのか？　打つとさまざまな副作用が出るのに我慢して打った理由は「これが正しい」と自分で自分を納得させていたからです。3回目以降、多くの人が打たなくなったのは、「これで正しいのか？」という内省言語が湧き上がったために「打つのをやめた」という行動を取ったからです。

このときこそ洗脳が解ける瞬間です。ここでもう一歩、「本当にこれは正しいのか？」という疑問を持ち続け、自ら情報を求めれば、認知戦に打ち勝つことができるのです。

つまり、知識です。知識こそが認知戦に打ち勝つ方法なのです。

ということは、知識を得ることで認知戦を仕掛けることもできるのです。

では、認知戦を仕掛けるにはどうすればいいのでしょうか？

簡単です。彼らの取ってきた方法をまねすればいいのです。

日本政府、そしてそれを操る超国家的勢力が私たちを認知戦に引きずり込んだとっかかりは何だったかを考えてみましょう。

答えは恐怖です。

病気になるのが怖い、死ぬのも怖い、貧乏になるのも怖い、間違っていると人から言われるのも怖い、人から孤立するのも怖い、こういった恐怖を先に見せてから対処療法を出してきて、人を取り込むのです。

私たちはこれを政治家に向けてやっていくのです。なにしろ、政治家の最大の恐怖は選挙民の心が離れていくことです。私たちこそが政治家にとって最大の恐怖なのです。

この恐怖をいまこそ使うのです。

いまの政治家はお金ですぐに転んでしまいます。本当の恐怖が何だったのかを忘れているのです。いいでしょう、いくらでもお金になびけば。

しかし、それによって本当の恐怖が襲いかかることを徹底的にわからせてあげましょう。次の選挙など待つことはありません。今日から、いまから、「あなたをもう支持しない」という「言葉」を、ソーシャルメディアを使って発信してください。同僚や友達にも話してください。議員のホームページに直接、メッセージも入れていきましょう。大手メディアにも積極的に意見を伝えましょう。

ほんの少し、行動を増やしてください。シンプルながら、これが確実な方法です。

マイナンバーカードを私たちが積極的に返納したから担当大臣は渋々ながら謝ったことを思い出してください。

私たちがほんの少し行動を変えるだけで日本は変わります。**日本を変えるにはこうした地道な積み重ねも必要**なのです。

私たちを怒らせることがどういうことか、徹底的に教えてあげましょう。

戦勝国によってつくられたシステムを壊せ

本書では新しい日本、新しい国家について考えています。

では、そもそもの話、「国家」とは何でしょうか？

私たちが国家について考えるとき、最初に頭に浮かぶのが「社会契約論」ではないかと思われます。

トマス・ホッブズが『リヴァイアサン』のなかで説いた「社会契約論」は、人間が生まれながらに持つ自然権の一部を国家に信託することで、国家が国民の権限を代わりに行使するというものです。警察が警察権を行使できるのも国民からの権利の行使の信託があるためです。つまり、国家が権力を持っているのではなく、国民が権力の一部、それも行使の部分だけを信託したから警察権や司法権、行政権なんかを持っているんですよ、という理屈です。権力があるのは国ではなく、国民だという主張がこの論理の根本を支えています。

しかし、これはあくまで理屈です。

現実的に国家の成り立ちを考えてみると、最初に強者がいて、そこに人が集まり、集団ができて、村ができて、街になり、国家になるといったところでしょう。あるいは家族、親族、血族が集団をつくり、それが次第に大きくなって国家になっていくというもので、ホッブズの言う「社会契約論」はいわば後付けの論理です。

力を持っているものが周りの村々を襲撃して国をつくり、王になっていくというのが現実の過程であり、それはヨーロッパの国々の歴史を見ればわかることで、日本の戦国時代にしても同様です。

ですから、基本的に、国家とは王なのです。その国家は先祖の血と汗でつくり上げたものですから、みすみす他人に渡すようなことはしません。どのような制度がつくられたとしても、自分の権力だけは維持されるようにコントロールしていくのです。一度権力を手に入れた者は権力を手放すことなど絶対にしません。ですから、権力者が権力を失うのは戦って負けたときだけです。

では、これを踏まえたうえで、日本という国家はどういう国家でしょうか？

まず戦前を考えてみましょう。

国家のサイズも巨大で、樺太はすべて日本であり、中国の多く、満州も全部日本でした。朝鮮半島には帝国大学があり日本そのもので、海洋面積まで入れたら、世界最大級の国だった時期があったのです。国際連盟の常任理事国でロシア、アメリカ、中国と並ぶポジションが当たり前でした。強大な国、日本があって、それを維持するために徹底的にエリート教育もしていました。

多くの人が忘れていますが、戦前の日本の教育水準は高かったのです。帝国大学の理学部は世界のトップクラスでした。科学技術は日本とドイツが世界のトップを独走していたのです。日本の戦闘機や戦艦の技術はまぎれもなく世界一であり、潜水艦にしてもドイツに並ぶほどの能力を持ち、一部では高い独創性を有していたほどです。

また、技術を形にする生産力も持っていました。三井、三菱、住友といった財閥が日本の生産力、経済力を支えていたのです。

しかし、第二次世界大戦の敗戦によって、日本はこれらすべてを失ってしまったのです。つまり、日本は権力者が権力を奪われた国なのです。

最低でも２０００年は続いている天皇家は象徴として連続性を維持することはできましたが、それをベースとしてきた日本の社会システムは壊されてしまったのです。

具体的には貴族階級の解体であり、経済においては財閥解体です。財閥は名前こそ残ってはいますが、系列会社が互いに株を持ち合う持株制にされてしまいました。三菱で言えば、金曜会の28社が株を持ち合うことでトップがいなくなってしまったのです。現在は◯◯ホールディングスといった持株会社の設立が許されていますが、当時はそれがＧＨＱによって禁止されたのです。みんなが株を平等で持ち合うというのはいわば共産主義であり、当然、戦前のような財閥など形成できるはずがないのです。

また、財閥が共産化されてしまったことによって資本家VS労働者という対立概念もなくなりました。サラリーマン社長ばかりになり、社長といえども安い給料に甘んじなければならなくなってしまったのです（もちろん近年、◯◯ホールディングスという持株会社制度が解禁されたのは、そのホールディングスの支配株主で外資になるというカラクリとワンセットでした）。

実際、日本企業の日本人社長の年収は一部上場でも３０００万円程度の時代が続きました。ＪＡＬの社長で９６０万円という話を聞いたこともあります。１億円を超える年収があるのは元日産のカルロス・ゴーン氏のように外資によって派遣された外国人くらいでした。

このようにしてＧＨＱは二度と日本人が金持ちになれないような仕組みをつくっていっ

たのですが、それを決定付けたのがシャウプ勧告です。

カール・シャウプ氏を団長とする日本税制使節団が提案した税制がシャウプ勧告で、世界に類をみない厳しい累進課税の導入を主張しました。ちなみに累進課税はアメリカで憲法違反の判決が出ているほど違法性のあるものです。それは当然で、働けば働いただけ税金が増えるという制度は、お金を稼ぐというモチベーションを人間から奪うものです。これを平等と考えるのは過分に左翼的な思考であり、事実、シャウプ氏はリベラル的な思想のなかで富裕層への課税を主に考えていたのです。

さらにシャウプ氏は2世代連続のお金持ちが出ないように厳しい相続税を課したことで、日本は二度と財閥を形成できなくなってしまったのです。これは同時に、日本国を強くする企業が生まれる余地もなくしてしまったとも言えるのです。

「いや、そんなことはないだろう。日本には高度経済成長時代があったじゃないか」と言う人もいるでしょう。しかし、高度経済成長はアメリカのけん引があったためです。たとえば、朝鮮特需は朝鮮戦争があったためで、あのときの特需はあくまでアメリカの下請けでした。発注するのは常に海外の資本家たちだったということです。

日本人はどこまでいっても労働者にしておくというのが戦勝国の方針であり、そのための財閥解体、そのためのシャウプ勧告でした。

そして、その仕上げが教育水準の低下です。GHQは学校教育に徹底的に介入し、飛び級のない平等な教育を義務教育としてつくりあげました。エリートをつくらないというのは一瞬耳障りのいい言葉ですが、天才の天賦《てんぷ》の才を伸ばさないということでもあります。暗記教育を基本とした画一的な教育によって、日本人からクリエイティビティを奪ったとも言えるのです。イノベーションは天才たちが起こすのです。

ところが、日本はそれを解体されてしまったのです。

日本の教育システム、税制システムの変更は、IQの高い日本人、クリエイティビティのある日本人、大金持ちの日本人の誕生を妨げました。そして、その結果として、無能な人が国民の代表である政治家として選ばれるシステムが形成されてしまったのです。

なぜ、いまの日本のトップが無能なのかの理由の一つはこれです。いまこそ、**戦後、戦勝国によってつくられたシステムを冷静に見直し、一つひとつ壊していくこと**が重要なのです。

第3章

絶体絶命を切り抜ける国のかたち

党利党略に縛られない当たり前の国会

国会というのは立法府であり、国民の代表である国会議員が法律をつくるところです。よって国民から信任された政治家が真剣に議論を交わす場であるわけです、本来は。

ところが、現実はどうでしょうか？

日本の国会で繰り広げられるのは強行採決と牛歩戦術。密室政治によって結論はすでに決まっており、国会は政治家たちが党に言われるがままに投票を行う儀式の場に過ぎません。議論もなければ、国民の意思の反映もない。あるのは首相官邸あるいは党執行部が決めた答えが先にあって、議員たちはそれに従うだけなのです。

こんな国会に何か意味があるでしょうか？　税金を数十億円もかけてやるものでしょうか？　いえ、そもそもの話、これを国会と言うのでしょうか？

日本では、いま国会はまともに機能していないのです。

いま言ったように、国民が自分たちの代表のつもりで投票し、信任した政治家たちは党利党略に縛られて自分の意見も言えないのがいまの国会です。

古くはＴＰＰ法案のときがそうでした。２０１２年当時、自民党も民主党もＴＰＰ推進は決めていました。反対すると除名するとしていました。

ただ、選挙期間中は反対してよいと選挙中のウソを指示していました。私の対立候補であった自民党の議員も「ＴＰＰ法案が可決したら私は議員を辞職します」と言っていました。

その後、ＴＰＰは可決されます。私の対立候補だった議員も辞職していません。国会議員は国民に約束したことを守らないし、党は守れないように縛りをかけてきます。これでは国会議員を選挙で選ぶ意味などありません。

今年２０２３年にも同じようなことが起きました。ＬＧＢＴ法案です。自民党の部会では反対する議員が過半数を超えていました。しかし、党執行部は強引に法案の国会提出を決め、反対票を投ずることは許さない、という党議拘束をかけたのです。

ＬＧＢＴ法案に関してはほとんどすべての国民が反対、最低でも議論の余地があるとして賛成はしていませんでした。議員にも同じように考える人が少なくありませんでした。

しかし、首相官邸、党執行部は強引なやり方で反対意見を押しつぶし、法制化してしまったのです。

驚いたことにこのときの自民党は議論の最低限のルールである多数決すら無視したのです。自民党の部会では反対が多数にもかかわらず、執行部はそれすら無視しました。

こうなってくると、国会だけでなく、政党の存在意義すら疑問に思えてくるでしょう。

いったい、この政府のどこに国民の意思があるのでしょうか？

この国のトップは誰のために政治をしているのでしょうか？

国会について考えていくと、この国の根幹がいかに国民の顔を見ないで政治をしているのかがわかってきます。そして、この元凶になっているのが、本書でも何度も指摘していくことになる、首相官邸のスタッフたちの存在です（P.114参照）。

現在、首相官邸には3000人のスタッフがおり、半分の1500人が各省庁からの出向組で、残りの半分が外資を含む大企業からの民間人です。彼らは誰一人選挙で選ばれていません。つまり憲法上、国民の権利の信託を受ける資格は一人も持っていません。

この3000人が首相官邸の意思を決定し、それが執行部の政策になるのです。つまり、現実的には彼らがこの国の政策の方向性を決めており、彼らが実質的な国の代表な

首相官邸

のです。

　では、彼らが国民の利益を考えるのかといえば、そんなことはありません。所属する企業、省庁の利益を代表するだけで、国民のことなどいっさい無視。特に民間企業からの出向組は実質外資系と言っていい状態ですから、日本国民の顔色を見るよりも海外の動向を見るのに忙しいくらいなのです。ＴＰＰ法案やＬＧＢＴ法案を何がなんでも通したい理由はここにあります。

　つまり、私たちが戦わなければいけない相手は首相官邸を牛耳る３０００人のスタッフです。彼らが過大な力を持っている限り、この国に本来の国会は戻ってきません。国民の声を正確に反映するはずの多数決という当たり前のルールも無視され続けたままです（もっとも、多数決が正しいか正しくないかは、また別の話です。私は多数決は単なる妥協の産物であって、21世紀の日本の議会に必要なものだとは思っていません）。

日本ではいま国会はまっとうに機能していません。政治家が自分の意見を言えず、信念を曲げさせられるような場を国会とは絶対に言いません。**新しい日本に必要なのは当たり前の国会です。議員たちが党利党略に縛られることがなく、自由で活発な議論ができる国会です。**

国民の代表が代表として、仕事ができる場所が必要なのです。

これを私たちはいましっかりと、心に刻まなければいけません。

ネットによる直接民主主義を早く導入せよ

国会を取り戻す前に、私たちはそもそも国会とはどういう場なのかを知っておく必要があるでしょう。

前項でも書いているように国会は立法の場です。議員が法案を作成、提出し、議論を尽くして法制化することで住み良い社会をつくっていくところです。そう考えた場合、現在の国会はまったく機能しておらず、それどころか、かえって国民生活を脅《おびや》かす場になっていると指摘しました。

その原因は首相官邸のスタッフたちにあるわけです。では、首相官邸がここまで力を持つ以前に戻せばいいのか、と言うとそれはそれで問題があります。

なぜなら、強行採決と牛歩戦術の光景は日本の国会の昔からの風物詩だったからです。議論の場としての国会は昭和の頃からまともに機能していないのです。よって、官邸スタッフたちの力を削《そ》いだところで、日本の国会が持つ本質的な問題は残されたままです。

日本の国会が強行採決と牛歩戦術の場になってしまう原因は多数決にあります。過半数を持つ党が絶対というやり方を取っているから、与党は強行採決という戦術が取れるのです。「野党がゴチャゴチャ言っても過半数に足りないんだからさっさと決を取ってしまえ。ことはそれで決まりだろう」という頭が与党にはあり、実際にそれで通用してしまうわけです。野党に残された道は投票そのものを遅らせる嫌がらせ戦術しか残されておらず、それが牛歩戦術になるわけです。

しかし、それは単なる腹いせみたいなもので、野党の溜飲《りゅういん》がほんの少しは下がるかもしれませんが、最終的には誰も得をしません。

こんな状況を指して私は「この国に国会はない」と言っているわけで、強行採決と牛歩戦術の状態に戻したところで何の意味もありません。

日本国民が望んでいるのは意味のある国会です。国民の意思が反映される国会です。

そのためには、国会をまともな議論のできる場にすることが最も大切なのです。

それには何が必要かというと「多数決で物事を決めない」ということです。

多数決は民主主義の基本だと多くの人が思っていますが、多数決くらい民主主義を逸脱しているものはありません。

実際、賛成51VS反対49で、ある案が可決しても反対派の49人は納得いきますか？いかないでしょう。過半数だからと言ってもわずかな差。たった数票の差で、黒が白に変わる世界に納得つまり公平さを感じられるわけがないのです。

そもそも民主主義というのは国民全員が参加して納得するまで議論を続けるものです。全員参加が基本で、それを直接民主主義と言います。

しかし、全員の人数が多くなってしまうと物理的に議論が無理になってしまう場合があるので、そのときは、代表者を決めて代わりに議論してもらう方法を取ります。それが間接民主主義になります。

いま日本で行われている民主主義はこの間接民主主義ですが、このやり方にしても物理的、時間的に代表者全員が納得するまで議論を尽くせない場合が出てきます。現実にはそういう場合しかないでしょう。

ですから、仕方なく決を取って人数が多いほうの意見を採用しているだけです。民主主義の基本は全員が納得いくまで話し合うこと。多数決は最後の最後に取る妥協案です。「だから、それが現実的な民主主義じゃないのか。妥協案だってルールはルールだ」と主張する人もいるでしょうが、強行採決でなんでも押し切っていいわけがないでしょう。

なにより、いまの日本の国会は強行採決でなんでも押し切ってしまっています。もはや、これは民主主義の成れの果てと言っても過言ではありません。言葉を換えれば、このやり方はシステムとしてすでに壊れているのです。

ということは、国会を取り戻すにしても、新しいやり方が必要になります。

それが何かというと直接民主主義です。これまでもＭＸテレビや私の著書で言及してきましたが、現在のＩＴ技術を使えば、直接民主主義はそれほどむずかしいことではありません。たとえば、**国民全員による投票は可能**なのです。

その具体的なやり方は私の会社コグニティブ・リサーチ・ラボが開発した「フォートトーク」というトークアプリを使います。「フォートトーク」はLINEなどとは違い、サーバは日本に置かれています。個人情報の収集はいっさい行いません。一方で、単調性（情報を足すことはできても引くことはできない性質）は維持していますから、不正をした場合は証拠が残ります。

この「フォートトーク」を使ってすべての法案についての賛否を国民が直接、投票していくのです。ネット国民投票にするわけです。ちなみに、この場合の国会はバーチャル国会になるでしょう。１日数億円と言われる経費がかからず、直接民主主義も実現で

図表4　日本での直接民主制導入に不可欠な投票の電子化のメリット

離散数理アルゴリズムで、個人の秘密を守ったまま投票可、
投票者自身の事後検証も可。

締め切りまで投票先を何度も変えられる。
圧力をかけるような組織的圧力も回避。

投票所で短時間でなく自宅で時間をかけて、
政策を吟味しながら投票が可。

↓

投票率向上効果もあり。

きるのですから、この形で日本の国会は新たに構築するべきではないでしょうか？

　もちろん、「フォートトーク」よりももっといいアプリがあれば、それを使えばいいのですが、マイナンバーカードの出来を見る限り、「フォートトーク」を超えるものをつくるのはいまの日本政府ではかなりむずかしいでしょう。

　というのも、「フォートトーク」は投票だけでなく、自分が考えた法案をチャットに提示することもできます。ほかの人たちと議論することも可能だからです。

　また、バーチャル国会になっても政治家の仕事はなくなるわけではありません。

完全に法案づくりが仕事になります。国民のための法案をつくって国会に提出するという議員本来の仕事に集中してもらいます。その仕事ぶりは全国民が見ているわけで、良い法案をつくればつくるほど次の選挙にも勝てるでしょう。ネット国民投票による直接民主主義は、選挙運動からも解放されるのですから一石二鳥と言えるのです。

最後に「バーチャル国会といえども最終的には多数決で法案の賛否を決めるのではないか？　だったら、現在の強行採決と同じではないのか？」という疑問を持つ人もいるかもしれないのでお答えしましょう。

その指摘はまさにその通りで、最終的には多数決で賛否を決めることになるはずです。しかし、与党が国民不在で決めた法案を問答無用で国会を通すのと、国民が自分たちで議論を重ねたうえでの多数決とでは、どちらが民意を反映しているかと言えば、絶対に後者です。

結局、多数決は仕方のないことなのです。とはいえ、そこにあぐらをかいて、最初から議論を放棄しているから、いまの国会は国会たりえていないのです。

国会を取り戻すとは、国民に真の利益をもたらす、本来の「民主主義」を取り戻すということなのです。

真の国民主権を実現する「重み付け直接民主主義」

前項で、**国会に民主主義を取り戻す方法がネット国民投票による直接民主主義だ**、と書きました。

国民一人ひとりが国会に参加する直接民主主義では基本的に代議士を立てる必要はありません。自分に関係ある法案、興味のある法案にアプリを使って自分自身で投票するだけです。

では、国会議員はもう必要ないのか、というとそれは違います。国会議員は法案に対して賛否を投票するだけでなく、もう一つ重要な役目を持っています。すでに説明した通り、法案づくりです。

もちろん、法案づくりまでやりたいという国民がいるのであればやるべきでしょう。しかし、多くの国民は仕事をしています。たとえば、フルタイムで働くサラリーマンに、

「国民の権利なんだから休日には法案をつくれ」と言っても無理な場合だってあるでしょう。さらに興味本位や浅い知識でいくつも法案をつくられたらそれはそれで厄介です。ですから、法案づくりのプロとしての政治家の存在理由はあります。彼らが法案をつくり、国民が投票するというのがわかりやすい図式でしょう。

このとき、官僚は何をしているのかといえば、政治家のスタッフです。ただし、そうなると結局また政治家たちを上手にコントロールして省益優先の政策、財務官僚であれば増税策を吹き込まれてしまうのではないか、という懸念が生まれます。

実際、現在の法案にしても議員が立案した議員立法はあっても、成立した法案の8割から9割は内閣法制局の官僚たちによる内閣立法です。ですから、直接民主主義になっても国会議員のスタッフに官僚がついてしまえば、あるいは大企業からの出向組がアシスタントについてしまえば、またもや国会は官僚や大企業たちが牛耳ることになるでしょう。もしも、そんなことになったら直接民主主義にする意味はありません。

しかし、私はそこはそれほど心配してはいません。

というのも、法案を提出するのは議員だからです。これまでは官僚たちがつくった法案は内閣が提出する内閣立法という形で、ある意味隠れ蓑《みの》がありました。しかし、私が提案する新しいバーチャル国会では内閣立法はありません。法案はすべて政治家が自分の責任において提出するのですから、官僚の言うままに提出などしたら、たちまち自分の評判が下がってしまいます。特に増税案は議員が出したくない法案の第1位でしょう。

もちろん、増税が必要ならば、誰かが意を決して出すかもしれません。国民にしても、増税することで自分の生活が向上するのであれば、必要なお金ですから払うでしょう。

しかし、いまの日本において増税というのは百害あって一利なしだと私は思っています。増税は経済の冷え込みを加速させるだけでなく、最終的には税収そのものを縮小させてしまいます。大切なことは、プライマリー・バランス（基礎的財政収支）を黒字化するという財務省の主張は間違っているということです。このことに気づいている国民は少なくないですから、いくら財務省が旗を振ったとしてもそれに乗っかる国会議員はいないのです。

直接民主主義の国会では、どの政治家がどんな法案を出したかが一目瞭然ですので、増税案を出した政治家は二度と票を得ることはないでしょう。

もう一つ、懸念されるのはサイバー攻撃です。私が提案する国会ではインターネットを経由し投票します。ですから、国会のサイトがサイバー攻撃を受けたり、ウイルス感染する可能性、国民が持つスマートフォンなどが汚染される危険性は常にあります。

　現に、近年のアメリカの大統領選挙では不正選挙の疑惑がたびたび報道されています。結論はまだ出ていませんが、限りなく黒に近い事案がいくつもあって、選挙をフェアに行うことが現代はとてもむずかしくなっていると言っていいでしょう。

　そういうこともあり、インターネット投票は不正が入り込む余地がいろいろあるように思えて不安になってしまうのでしょう。そして実際にその懸念はたしかにあるのです。サイバー攻撃を受けてシステムをダウンさせられたり、データを改ざんされたりすることが実際に起こるでしょう。


　しかし、DevSecOps（デブセックオプス。P.１２０参照）でシステムをつくっておけば、サイバー攻撃や不正が行われたときにも迅速な対応が可能です。さらに、単調性（つまり過去に戻って改ざんができない）を維持したシステムでは証拠がすべて残ります。どこでどんな不正があったのかがあとでわかるのです。それがわかれば、その部分の投票結果を再計算するなどいくらでも対応ができます。

　そもそも、アメリカの大統領選挙の不正は、密室のなかで人間が票を書き直したり、捨てたりといったアナログ的なやり方が多かったようなのです。

しかし、私の提案する新しい国会はインターネットのなかですべて完結していますから、逆に不正がしにくいと言えるのです。仮に不正があってもその証拠は残ります。旧方式のアナログの選挙システムよりははるかに透明性を担保できると言えるのです。

とはいえ、私にも懸念があります。それは不正とかではなく、「多数決」の部分です。前項でも問題にした「多数決」ですが、これは民主的でもなんでもなく、ただの妥協案だという話をしました。直接民主主義でもこの妥協案を仕方のないこととする理由は、強行採決よりはまだマシだからというものでした。

しかし、よりフェアに投票を行うためにはまだ何かあるのではないか、と私は考え、一つの結論として出たのが**「重み付け直接民主主義」**です。

すでに「重み付け直接民主主義」は書籍（『本当の民主主義を取り戻せ！』サイゾー、2022）にもなっているのでご存知の方も多いでしょうが、あらためて解説しておきましょう。

「重み付け」とは投票する際に、人によって票数を変えることを言います。ある人が持っているのは2票、ある人は3票、またある人は1票などと、人によって票数を変える方式です。「そんなの不公平じゃないか！」と思った人もいるでしょう。

しかし、1人の人が2票、3票と持つほうがフェアな場合もあるのです。

たとえば、「高速道路の最高速度を１２０キロにする」という法案の場合、普段から高速道路を使用する人と、免許も車も持っていない人が同じ1票を持っていることがフェアなのか？　ということです。

いつも高速道路を使っているトラック運転手は１２０キロにたぶん賛成するでしょう。仕事がしやすくなるからです。一方、免許を持っていない人が「なんとなく危なそうだから」というぼんやりした理由で法案に反対票を入れるかもしれません。

法案によってはこういう無関心層のほうが多い場合があり、その人たちが何かのはずみで否決に回ったり、賛成に回ったりする可能性もなくはないのです。

そういう不公平感、理不尽感をなくしていくための措置が「重み付け」で、その法案への影響力の度合いで票数を変えていくものです。

国民は基本的に1票を持ちますが、免許を持っている人は2票、免許と車を持っている人は3票、普段から高速道路を使っている人は4票、また、高速道路の近くに住んでいて騒音の影響が考えられるという人も4票、という具合に、持ち分の票数をアップさせることで直接民主主義の持つアンフェアな部分を埋めていくのです。

ただの多数決ではなく、より現実的な形で運用していくための方法論となります。

これが私たちの新しい国の形をつくりだすのです。

図表5　ネット投票によるデジタル直接民主主義を考える

現在議論され始めた直接民主制の拡大

- 代表民主制（議会民主主義）維持のまま、IT技術で憲法改正以外にも、直接民主制は拡大可能。
- 政府巨大化や過度な官僚主義への国民の対抗権として行政に対する国民の直接審査が必要。
- 国会が立法権を独占するのではなく、国民発議、国民評決、国民拒否による直接的立法も。

政府のデジタル化を国民の利益にするには？
＝真のeガバメント化

○正しいeガバメントは、立法、行政の意思決定すべての透明化と国民の直接参加。

○最低でも官庁、都道府県などの意思決定プロセスを、web会議化、国民が視聴可能に。

○立法も意思決定プロセスのweb会議化、国民の視聴可に、さらに直接民主主義化。

マイナンバー制度は根本的に設計ミス

マイナンバー制度には大きな問題があるのは、みなさんもすでにおわかりでしょう。私はこれまでもＳＮＳやＭＸテレビの番組などで何度も指摘してきました。ところが、政府はマイナンバー制度を安全だと強弁し、マイナンバーカードの普及を拙速に進めようとしています。

しかし、マイナンバー制度は発足当初から情報漏えいの致命的な事故を頻発させています。たとえば、２０１８年12月にはマイナンバーを含む住所、氏名、給与所得といった重要な個人情報の約２４０万人分を漏えいさせてしまっています。もう一度言います。２４０万人分です。これで安全だとよく言えるなと誰もが思う、とてつもない情報漏えいです。

しかも、その原因は政府がデータ入力業務を委託した業者の選定ミスです。業者が政府に無断で、いくつかの下請けに丸投げしたためで、そんなことをすれば漏れるのは当然でしょう。政府が選定した業者はそんなことにすら気づかないセキュリティ意識の低い業者だったのです。

ただし、この問題は業者のセキュリティ意識の低さだけにとどまりません。問題の根はそんな業者を選んでしまうほど、セキュリティ意識の低い政府にあり、ひいてはその人たちを選んだ国民にあるのです。もちろん、業務の多くは選挙で選ばれていない官僚によるものですから、彼らの責任であり国民に対する裏切りです。

日本政府は事あるごとにマイナンバー制度は「安全・安心」だと言っていますが、いったい何をもって安全と言うのでしょうか？　事故後、彼らのとった行動や言動からはなんら、安全性に留意している様子は感じられません。

マイナンバーカード、いわゆるマイナカードも不祥事が続発しています。

マイナンバーカードに別人の顔写真を貼り付けてしまったり、別人の銀行口座に紐付けしたり、コンビニで住民票の発行をしたところ別人のものが発行されるなどの問題が１００件近く頻発し、マイナカードと公金受取口座への紐付けに至っては13万件にものぼる誤登録が発覚しています。

ところが、担当大臣はさまざまな問題がありましたが、いずれもマイナンバーやマイナカードの制度、システムに起因するものではありませんでしたと強弁し、システムの問題ではなく、人為的ミス、特に利用者側のミスと主張しました。

しかし、これは根本的なシステム設計のミスです。メガバンクのデータベース統合後、みずほ銀行ばかりが重大なシステムエラーを繰り返しているのと同じ原因がそこにはあります。

かつて私は、メガバンクのデータベース統合のアドバイスをしたことがあります。日本特有の問題として痛感したのは、日本のプログラマーたちを取り巻く環境の劣悪さでした。アルゴリズムとプログラミングのセンスとは関係なく、悪い意味で日本的な徒弟《とてい》制度のような環境で下積みを経験し、そこで音《ね》を上げなかった人たちが強固に自分のやり方に固執している状況があるのです。

彼らにとってそれは間違いのないやり方なのでしょうが、私には、「自己正当性を後ろ向きに維持している」ようにしか見えないのです。要は、先輩や師匠から教わったやり方を信奉するあまり、新しいものに対する拒否反応が強過ぎるのです。

一例を挙げれば、いまだにウォーターフォールモデルをよしとしていることです。ウォーターフォールモデルとは古いソフトウェア開発の手法です。その名の通り、「滝」

図表6　DevOpsとDevSecOpsの概念

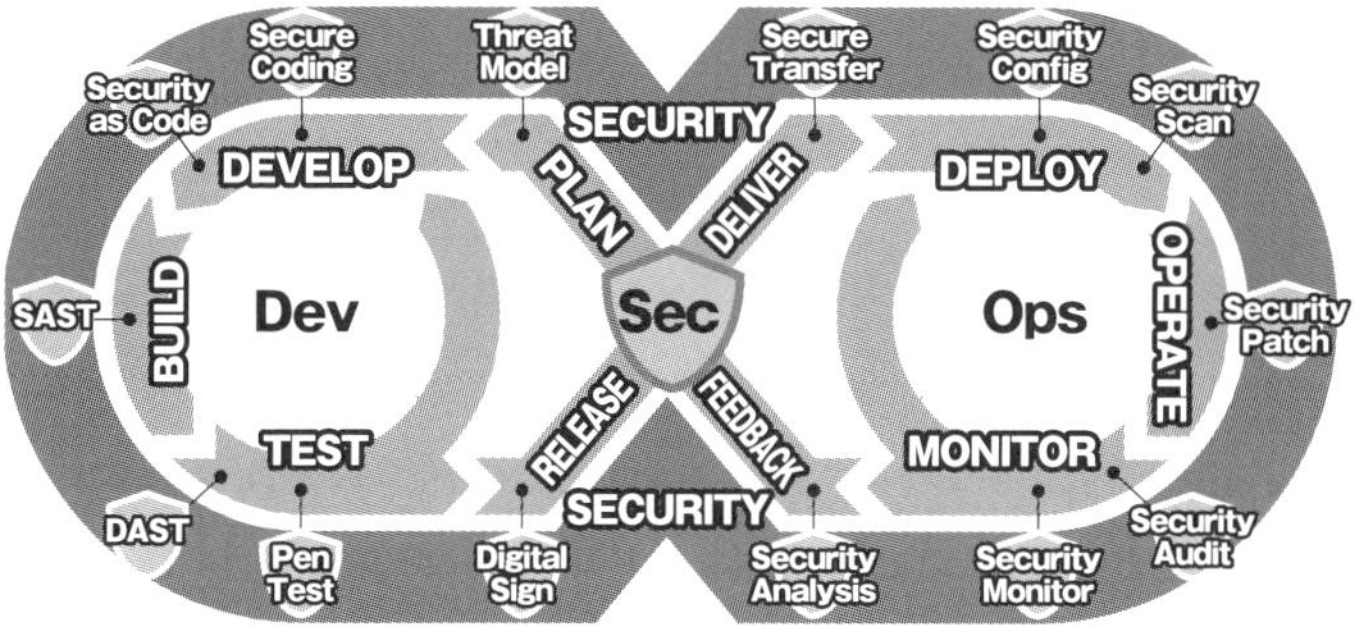

Dev Sec Ops =Development（開発）、Security（サイバー耐性）、Operations（運用）を略した造語。
ソフトウェアの開発ライフサイクルの全局面にセキュリティが適用。サイクルを回し続ける。安全迅速に開発が可能。変化・改善が前提。

のように上流から下流へ順に作業し、「当初の計画に従うこと」が絶対視されます。実装したい機能がのちのち追加されることをよしとしません。なぜなら後工程で方針を変えると前に戻ってやり直さなければならず、工数がかさむからです。

しかし、現在のソフトウェア開発で重視されるのは「計画に従うよりも変化へのビビッドな対応」です。あとからの改善を高速、高頻度で行うことを前提とした開発で、これが図表6のDevSecOpsという開発手法です（P.120参照）。この手法を使えば、これまで起きたすべてのマイナンバー制度やマイナカードの不具合は起こらなかったでしょうし、たとえ起きたとしても即座に改善することができたのです。

現在のソフトウェア開発とはNetflixやAmazonを見ればわかる通り、常にソフトウェアをマーケットの状況に応じて、改良していくものです。その際、プログラムを止めるということはしません。ソフトウェアを24時間走らせたまま、裏側でより良い機能を実装していくのです。それを実現させているのがDevSecOpsです。

ですから、担当大臣の「２０２６年に、セキュリティを強化した新しいマイナンバーカードをリリースする」という発言など、DevSecOpsを理解している最先端のエンジニアからすればありえないもので、関係各所、関係者各位が、ＩＴをまったく理解していないことがあの発言だけで露呈してしまっているのです。

当たり前のことですが、これまでのマイナンバー制度、マイナンバーカードを巡る数々のトラブルのすべては開発者側に問題があります。トラブルが起きたらその場で直していく。これがごく普通のことで、そんなこともできないのにサイバー攻撃を受けたらどうするつもりなのでしょうか？

マイナンバー制度を巡る問題は、古い知識しか持たない人々が政府指定のエンジニアであることが原因で起きています。担当大臣がそういったことに対してなんら理解していないこともリスクなのです。

そしてなによりの問題は、こんなずさんな制度を平気でよしとしている日本政府の問題です。

よしとする理由はすでにみなさんも薄々感づいているでしょう。総務省、厚労省、警察庁、法務省、国税庁、金融庁、地方自治体などで個別に運用メンテナンスしてきた国民のデータに、政府が統一的かつリアルタイムでアクセスしたい、という欲求があるためです。これによって現在の中国のような監視社会を実現させたいと思っているのです。

もちろん世界的には世界経済フォーラム（WEF）を主催する人々の思惑もあるでしょう。彼らは「地球上の人間すべての完全管理」というまさに陰謀論を地で行くような欲求を持っており、日本政府はその意を受けて動いている可能性があります。

いまの政府からは国民の個人情報を大切に扱う気がほとんど感じられません。その逆に、日本国民の情報を中国などの他国の人々に売り渡そうとしているのではないかと感じられるほどです。

制度やシステムのつくり方にしても、「監視」を基点とした発想であるために、本来あるはずの利便性や、なくてはならない安全性も無視する結果になってしまっています。また、問題点を指摘する以前の話として、「そもそもマイナンバー制度が必要なのか？」という大前提の議論がすでに抜け落ちているのも気になります。

ともかく、もしもこういったシステムをつくりたいのであれば、**中央集権的な個人情報の集中や、権力の介入を許さないシステムを構築し、個人情報は各個人が分散管理できるようにすることが重要です。**情報を開示する場合は開示レベルを自分で決めることができる階層暗号化を実装したカプセル方式にするべきでしょう。

私はこれを理想や空想で言っているわけではなく、現実の話として語っています。なぜなら、私が開発したトークアプリ「フォートトーク」にはすでに実装されているからです。「フォートトーク」では各個人が個人情報を分散管理しながら安全に運用しています。

マイナンバー制度、マイナンバーカードを安全に運用する技術はすでにある、ということです。これをみなさんは理解し、「利用者が悪い」と強弁する大臣たちに強く反駁《はんばく》していきましょう。

国を支えるシステムは、国の将来に大きく関わるのです。

マイナンバー制度に見る日本政治の闇

　前項で述べたようにマイナンバーカードはDevSecOpsでつくっていけばほぼ問題は起きなかったでしょうし、仮に起きたとしても簡単に修復できたでしょう。もちろん、これを理解している官僚たちもいます。そうでなければ、デジタル庁が私の会社が主催したDevSecOpsに関するイベントに協賛などしないはずです。

　であるのに、なぜ、現状マイナンバーカードは不具合の多発するシステムになってしまっているのでしょうか？

　実はこの原因としてあるのが日本政治の闇の部分です。

　みなさんはいまの日本の政治政策はどこでつくられているかご存知ですか？

　国会だと思いますか？　それとも官僚たちだと思いますか？

　二つとも違います。

　日本の政治は国会がつくっているわけでもなく、官僚たちが独断でつくっているわけでもありません。

では、どこでつくられているのかというと、それは――。

もうおわかりですね。「首相官邸」です。

大切なので何度も言いますが、官邸には3000人のスタッフがおり、半分の1500人が各官庁から出向した官僚たちです。彼らが官邸で好き勝手なことをやっているのかというと、それは違います。

第二次安倍政権時に官僚の人事権は政治家が握ることになりました。官房副長官が内閣人事局長を兼任し、審議官級以上の人事を掌握しました。当時、官僚は省益ばかりに固執して国益をおろそかにしている、という世論が巻き起こり、官僚の人事権は首相官邸が一手に押さえることになったのです。ですから、官僚たちの首根っこは政治家たちが人事権という形で握っているので勝手なことはできなくなっています。

問題はもう半分の1500人です。この1500人は大企業や外資系企業からの出向組でいわばスーパーエリートたちです。知識もＩＱも政治家はもちろん、官僚たちと比べても遜色なく、なかには上をいく人々まで多々いるため、官僚たちですら太刀打ちできない状況が出現してしまっているのです。実際の日本国の方向性というのは彼ら1500人によって決まってしまっているのです。

たとえば、２０２１年1月に菅首相（当時）は「日本は２０３５年までに新車販売で電動車１００％を実現する」と宣言しましたが、実はこの当時、首相官邸内には世界的な電気自動車メーカーのTeslaの取締役がいたのです。

官邸にいる民間企業の出向組は国益などこれっぽっちも考えません。企業の利益だけを考えて行動しますから、政治家たちに自社製品、自社システムの良さだけをアピールするのです。

日本の政治がおかしくなっているのは「官邸が外資系企業、大企業に乗っ取られている」と言っても過言ではない状況下にあるためです。

マイナンバーカードが不具合を続出させている原因も、マイナンバーカードのソフトウェアをつくったプライムベンダーが官邸のソフト卸発注を支配しているからです。彼らが自分で自分に発注をかけている状態なので、DevSecOps化などという話が出てこないのです。

愕然《がくぜん》とする話かもしれませんが、これが日本の実態です。

しかし、対策はあります。大企業や外資系企業といえども政治家たちを脅しているわけではありません。彼らスーパーエリートたちは知識量が圧倒的で、政治家や中途半端な知識量の官僚ではまったく太刀打ちできないため、議論をしても簡単に丸め込まれてしまうのです。政治家たちは「この政策がベストだ」と本気で思っており、「大企業のエリートの◯◯さんの言う通りにすれば間違いない」と絶対視すらしているところがあります。

つまり、政治家があまりにも知識がないことに問題があります。

マイナンバーカードを例にとれば、デジタル担当大臣は最低でも理系であり、かなりのコンピュータサイエンスの専門知識を持っていることが必須です。もし、そういった知識が担当大臣になければ、深い知識を持ったブレーンたちを脇に配置して、彼らが知識の更新をチェックするのです。多くの異論が出たとしても、何が正しいのかを判断し、自ら取捨選択できなければこれからの大臣は務まらない、ということです。

でなければ、日本は外資系企業たちの草刈り場になってしまうでしょう。いえ、マイナンバーカードの出来の悪さを見ると、すでに相当な草刈り場になってしまっていると言わざるをえません。

本来、マイナンバーカードでここまで不具合が生じているのであれば、総理大臣レベルで「DevSecOps にしなさい」と命じるべきなのです。

DevSecOps でまったく新しくシステムを構築し直しても、現行システムをだましだまし補修していくよりはるかにコストはかかりません。そうしたほうが安全なうえ、メンテナンスも、機能の追加も容易です。

２０２３年10月に起きた三菱ＵＦＪ銀行などで２日間で５００万件の取引に遅延や未処理などの影響が出た全国銀行資金決済ネットワーク（全銀ネット）の不具合も、時代遅れのシステムをだましだまし使ってきた結果で、抜本的に設計の見直しが必要です。ミッションクリティカル部以外はJavaでという話ですが、その発想もまた時代遅れです。

前項で触れた「フォートトーク」はこれができることの見本であり、フォートトーク内のＳＮＳであるフィートでは、運転免許証と健康保険証で本人確認ができます。一方で、本人確認済みという事実のみが保存され、個人情報はいっさい保存されません。本人確認にあたり表示姓名のどちらかを架空名にすることも可能ですし、ＡＩには実名を呈示する一方で他ユーザーには架空名にもできます。システム運用側にも実名を知ることができない安全な仕様になっているのです。

マイナンバーカードにこの設計思想を持ち込めば、保険証に関しても個人情報は守られます。本人のリアルタイム許諾により担当医師だけが個人の医療情報を見られるようにできます。銀行で融資を受ける際にも、本人の許諾した範囲内の経済活動状況を開示することが可能です。

政府にとっても悪い話ではありません。この方式であれば、本人の開示もしくは裁判所の命令で該当個人情報を見ることができるのです。

中国型のように、ＳＮＳにおける反応速度や交通違反履歴が経済的信用スコアに反映されるようなことはありえず、ましてや個人情報が売買されることは原理的に起こりえないシステムで、これこそが民主的に運用できるマイナンバー制度、マイナンバーカードと言っていいでしょう。

そしてなにより、この考え方はすでにApple Payでも使われているもので、まさにこれが世界の趨勢《すうせい》なのです。

前項でマイナンバー制度について、日本政府は国民のデータを統一的かつリアルタイムでアクセスすることによって、現在の中国のような監視社会を実現させたいと思っていると書きました。

このやり方が問題なのは、日本政府が監視社会をつくって日本国民を支配したいという思想が根底にあるということです。制度やシステムのつくり方にしても、「監視」を基点とした発想であるために、本来あるはずの利便性や、なくてはならない安全性も無視する結果になってしまっています。

また、問題点を指摘する以前の話として「そもそもマイナンバー制度が必要なのか?」という大前提の議論がすでに抜け落ちているのも気になるとも書きました。

こういった議論すらなく、拙速に進める日本政府、デジタル庁のやり方にすべての原因があるということです。

はっきり言いましょう。政府がどうしてもマイナンバーカードをつくりたいというのであれば、それは可能なのです。

日本を変えるDevSecOps

ここまで何度かDevSecOpsの名前を出してきましたが、肝心のDevSecOpsがどんなものなのかを解説していなかったので少し触れておきましょう。

DevSecOpsは最新のソフトウェア開発方式であり、その名の通り、ディベロップ（開発）とセキュリティ（サイバー耐性）とオペレーション（運用）を同時に行っていくもので、Tesla、Netflixといった ＩＴ企業たちやアメリカの国防の総本山、国防総省でも採用しています。主にGoogleが進めたDevOpsにSecurityを加えたものが、DevSecOpsです。

そこにあるのは、新たなテクノロジーを追加していくことに加え、日々進化しているサイバー脅威に対抗するための臨機応変のソフトウェアづくりです。マイナンバー制度、マイナンバーカードのシステムに最も必要とされるものでしょう。

たとえば、AmazonやNetflixを見てください。彼らの顧客は全世界で2億人、3億人です。それだけの人数の顧客管理をしながら、ソフトウェアの管理、マーケットの状況に応じた新サービスも行っています。それもいままで通りのプログラムを走らせている その裏側で新しい処理を試みているのです。Amazon や Netflix で「現在メンテナンス中です。3時間止まります」といったアナウンスなど見たことないはずです。

現在のソフトウェア開発は、ソフトウェアを24時間稼働させながら、いかに顧客のニーズに即応し、競合他社よりも良い機能を実装していくかが競争力の源泉になっているのです。これが現在のＩＴのスタンダードなのです。

ところが、マイナンバーカードはどうでしょうか？　顔認証も、データの管理も、正しいデータ入力すら満足にできません。開発と運用の段階でここまでミスが多ければ、セキュリティなど後回しになっているであろうことは容易に想像がつくでしょう。これがなにより怖いのです。

現在のソフトウェア開発は、基本的に DevOps つまりディベロップ（開発）とオペレーション（運用）があって、これを同時にやっていくというものです。これにセキュリティをプラスしたのが DevSecOps で、最初の段階からセキュリティを徹底的に組み込んでいく、もしも不具合が出たら、その瞬間に直していくもので、実際、Google では1日4万回以上のソフトウェア改善を行っています。そういう仕様でなければ、Amazon や

Netflix、Google は管理運用できないのです。

ところで、ここで「Google は1日4万回もソフトウェア改善するとはどういうことですか？ そんなに不具合が多いんですか？」と思った人がいるかもしれません。

これについては現在のソフトウェア開発の現場を説明すればわかると思います。いまのソフトウェア開発になくてはならないのがオープンソースです。オープンソースとは無償で公開されたソースコード（プログラミング言語によって記された文字列）で、誰でも自由に改良や再配布ができる便利なコードのことを言います。たとえば、オラクル社のような市販製品を扱うソフトウェアメーカーもオープンソースのプログラムを利用して市販製品を開発し、販売しています。

ただし、オープンソースには大きな問題があってバグがよく発見されるということです。もちろん、そのバグにはすぐにパッチが配布されますから、それを当てさえすれば問題はありません。

しかし、多くの企業ではタイムリーにコードをアップデートしていく運用体制を敷いているところが少なく、脆弱《ぜいじゃく》性が公表されているにもかかわらず、放置してしまっていることが多いのです。

「ならばそんなオープンソースなど使わなければいいじゃないか」と思うかもしれませんが、ソフトウェア開発には多額のコストがかかり、オープンソースを使わないわけにはいきません。つまり、現在においてソフトウェアを運用するにはセキュリティを、それも開発の段階からセキュリティを考えるDevSecOpsしかありえないのです。

また、1日4万回のソフトウェア改善を行うためのポイントは、「自動化」です。DevOpsのコアが「自動化」で、Googleがサイトを止めずに裏側でソフトウェア開発ができるのもすべて自動化してソースコードを書いているためです。コミットしたら自動でテストに回し、全部パスすればそのまま本番環境にまわしていき、うまくいかなければ再びテストする、というソフトウェア開発のライフサイクル自体を縮めて、かつ安全にやっているからこそ可能なのです。

それはマイナンバーカードでも同じです。一度つくってしまえばそれで終わりではなく、24時間常時、メンテナンスをし続ける必要があります。特に、マイナンバーカードは国民すべての個人情報を記載しようとするのですから、三重四重の管理体制、安全対策が必要となります。

であるのに、最初の運用の段階で、要は手入力の段階で大きくつまずいているから恐ろしいのです。そもそもデータ入力のミスが起きている時点で疑問です。各省庁でバラバラに持っている個人情報を統合することなどそれほどむずかしいことではありません。かつての「２０００年問題」のとき、全世界の95％のソースコードを修正した技術を使えばいいのです。私もこの技術には関わっていました。２０００年問題のときは、あらゆる言語で書かれたプログラムを一度ＡＩに読み込ませて（一度Lispに変換して）２０００年問題を修正したうえで個別プログラム言語を自動生成したのです。

マイナンバー制度も同様に、異なる官庁、公共団体にある全システムをＡＩに読ませて、いまパラダイム化したソースコードをそれぞれの環境向けに生成すれば、それほどむずかしいことではありません。加えてDevSecOps化まですれば現在のような個人情報の漏えいなども起こりません。生成ＡＩによる自動プログラミングは20年前よりも進化していますから容易に可能なのです。

ただし、いまのデジタル庁の方針のように各省庁に集積されていた個人情報を一つのサーバ（もしくはcloud）で走らせることはしないほうがいいでしょう。各官公庁や自治体のシステムはいままで通り、バラバラにしておくべきです。もしも全部繋いでしまったら、どこか一つハッキングされたら全部漏れてしまうことになります。ですから、いまのようにバラバラにDevSecOps化して運用し、本当に必要ならば裁判所の令状でどのシステムにでもリアルタイムアクセスできるようにすればいいのです。

繰り返しますが、**マイナンバーカードは全国民の個人情報が蓄積されています**。政府は、それに加えて、銀行口座や保険証番号、年金などを紐付けようとしています。であるのに、石器時代のような運用に、「ザル」と言われてしまうセキュリティでは、国民も安心して任せることなどできないでしょう。

開発と運用と安全性。これを同時に行うことが現在のソフトウェア開発には不可欠であること、そしてそれは可能であるだけでなく、すでに実装されている、ということを私たちは理解しなければいけません。そしてそれを政府やデジタル庁、担当大臣などに指摘していくことが大切なのです。

ソーシャルメディアの罠

この本の読者であれば、テレビなどの旧来のメディア、マスメディアを盲目的に信用する人はいないでしょう。さらに言えば、ソーシャルメディア（ＳＮＳ）にしても情報の偏りがあることをわかっている人は少なくないはずです。

とはいえ、どちらのメディアを信頼するのか、といえばＳＮＳであることが多くなっているのが現代です。特にイーロン・マスク氏がオーナーになってからのＸ（Twitter）は過剰な検閲をやめるようになり、情報のバランスは確実に良くなっていると言えるでしょう。

しかし、だからこそ、気をつけなければいけないことがあります。

それはソーシャルメディアのほうがよりだまされやすい媒体だということです。一定の価値を刷り込みたいと思ったらソーシャルメディアのほうがマスメディアよりもやりやすいのです。

ソーシャルメディアの良い点は、自分でソースを選べることであったり、確認がしやすいところです。

しかし、それが罠なのです。たとえば、X（Twitter）やFacebookの場合、自分でニュースソースを選ぶと言ってもそれは最初だけ。信頼に足るメディアと判断しフォローなどをしたら、あとはそこからのニュースや周辺からの情報ばかりしか目に入らなくなるでしょう。

実際、コロナワクチンに賛成する人がそういう人の意見ばかり見聞きしていれば、自然とそういうニュースが集まるようになり、コロナワクチンは安全なんだという意見に凝り固まるだけです。もちろん、その逆もしかりです。片方の意見を支持する人間は対立する意見をますます容認できなくなっていきます。

ソーシャルメディアの設計として同じ意見の人を集める機能があるので、ソーシャルメディアに入った瞬間から価値が一つに固まってしまうのです。これをフィルターバブルと言います。

マスメディアというのはメディア側が偏向した情報を意図的に流すという問題があり、ソーシャルメディアの場合はソーシャルメディアの設計上、同じ意見の人を集める機能があります。ソーシャルメディアに入った瞬間から価値が一つに固まってしまうのです。最初から情報のルートを自分で絞ってしまうのです。

いわば自分で自分に罠をかけてしまうのがソーシャルメディアの問題点なのです。

もう一つ、ソーシャルメディアは、各国の諜報機関が関与している場合があるので、情報漏えいや認知戦にも注意が必要になってきます。

諜報機関が関与しているソーシャルメディアで代表的なものがLINEです。LINEは韓国の国家情報院（旧ＫＣＩＡ）が傍受し、収拾したデータは保管、分析されていることが２０１４年の段階で判明しています。しかも当時、韓国側は日本政府からのこれに対する抗議を認めているだけでなく、内政干渉であると開き直っているのです。さらには、LINEの日本人データは中国のＩＴ企業テンセントに渡されていたこともわかっているのです。

ところが、日本政府はこの後もLINEを使い続けたのです。厚生労働省は特にLINEがお気に入りで、マイナンバーカードとの連携に積極的です。国民の情報が中国に流れることも気にならないのです。

実は日本のトップの一部が外国株主と話をつけて、日本政府にも国民の情報を渡すのであれば、LINEの普及をバックアップするという裏取引が行われた、といった噂まであるのです。

アメリカではすでに禁止の方向にある動画投稿アプリのTikTokにも警戒が必要です。TikTokを運営するByteDance社は中国の民間企業ということになっていますが、中国政府系のファンドが黄金株（株主総会で合併など重要な議案を否決できる権利を持つ株式）を取得しており、中国の国家サイバースペース管理局（CAC）の人間が役員に入っています。中身は完全に中国の国有企業です。そのByteDanceがつくったアプリをダウンロードすると端末に入っている個人情報のすべてを抜き取ることができます。

実際、中国には国家安全法、国家情報法やデータ安全法などがあり、敵国日本の情報を集めることが当然だからです。

ところが、日本のデジタル庁はこのTikTokを使ってマイナンバーカードの広報活動を積極的に行っていたのです。

ソーシャルメディアの問題点のもう一つは、**日本の政府が情報漏えいをまったく警戒していない**ことです。

実はこれがいちばん大きな問題で、日本の場合、自国の政府をなかなか信用できません。

ですから、新しい日本では信頼できる政府、政治家を育成することが急務なのです。そのためにも質のいい情報を集め、他国に漏えいさせないことが肝要になってきます。

生成ＡＩのかしこい使い方

現在、ChatGPTをはじめとする生成ＡＩの可能性に大きな注目が集まっています。きっかけとなったのは２０２３年の４月、ChatGPTを開発したOpenAIのＣＥＯ、サム・アルトマン氏が来日し、首相官邸を訪れて岸田文雄首相と会談をしたことによります。

この会談によってOpenAIの日本オフィスの設立、日本語版の拡充が図られることになりました。

また、この動きを受けて、同年４月、西村康稔経済産業大臣は「さまざまな作業を効率化していく観点から、ChatGPT活用の可能性があると思う。ＡＩを補助ツールにして国会の答弁をつくっていく。これは国会の軽視にはあたらない」などと語って積極的に推進していくと発表しています。６月には国会議事録の要約を作成できるインターネットサービスまで登場しました。

官民で生成ＡＩを積極的に活用していく流れがかなりはっきりしてきたのが２０２３

年と言っていいでしょう。

しかし、この動きを両手《もろて》を挙げて賛成していいのでしょうか？

たとえば、元Google研究所の研究者でAI研究の第一人者の一人であるジェフリー・ヒントン氏はＡＩの危険性について語るためにわざわざGoogleを退社しています。

ヒントン氏は語ります。

「ＡＩは私やほかの専門家が予想していたよりも急激に進化しており、これを制御・管理するために、人類は迅速に対策を行うべきである。たとえばＡＩによって生み出された誤情報を人間が信じてしまい、誤った判断を選挙でしてしまう可能性がある」

最も危惧しているのは「数年以内に人間を凌駕《りょうが》するほどの知識と思考を手に入れる可能性は十分にある」と断言している点です。

ヒントン氏の心配は決して杞憂《きゆう》ではありません。「生成ＡＩの結論は人間の結論と相容れないかもしれない」と私も予想しているからです。

一言で言えば、ＡＩが人間を超える頭脳を有し、映画『マトリックス』のような、人間がＡＩに支配される世界が現実になってしまう可能性が否定できないということです。

ただし、否定できないと言っても、ただちにＡＩに支配されてしまうのかというと、そういうわけでもありません。

そもそもＡＩが人を支配するという感覚など持たないでしょう。ＡＩに意思はないからです。私が危惧しているのはそういうところではなく、たとえば、「ChatGPTを世界中の人が使うとしましょう。すると簡単に１万台が常時稼働しているような状態になるわけで、この１万台の生成ＡＩが知識を共有すれば人類の知識など簡単に凌駕してしまうでしょう」ということなのです。

そうなった場合、人間は生成ＡＩが出した答えが間違っていてもわからないのです。ＡＩの知識量が人間の持つ知識量を超えてしまった場合、人間にはＡＩが言っていることが正しいかどうかさえ、検証できなくなってしまうのです。要は、ＡＩがGoogleの株主のために動いていたとしても私たちにはわからない、ということが起きてしまうのです。

「一部の人間だけが得をする可能性がある」
「貧富の差がいま以上に生まれてしまう可能性がある」
「政府がこれを使うようになれば、ＷＥＦの意見が反映されてしまう可能性がある」

ということです。

それは生成ＡＩの問題ではなく、最初に偏った情報を入れた人間の問題だと言う人もいるでしょう。もちろん、その通りなのですが、それも含めて考えなければいけません。なぜなら、すでにいまのChatGPTのデータベースには偏りが入っているからです。ChatGPTの有名な話ですが、「バイデン大統領を讃える詩をつくってくれ」と頼むと、雄弁な詩をつくるのですが、「トランプ元大統領を讃える詩をつくってくれ」と頼むと、「私は人工知能であり、政治的な立場をとることはできません。詩をお手伝いすることができれば幸いですが、あくまでも中立的な内容に限定されます」という回答が出て、詩をつくってくれないのです。

ＬＧＢＴ問題について尋ねても絶対賛成で、ジェンダーレストイレの設置についても、それが差別をなくす道だと力説します。知識の学び方によっては回答に偏りが出てしまうというものではなく、ChatGPTはすでに偏っているのです。そのことを知っておくことです。

その理由は簡単で、ChatGPTの大スポンサーはＬＧＢＴやコオロギ食、複数回のワクチン接種を世界的に推奨しているビル・ゲイツ氏だからです。また、ＡＩをトレーニングするのは人間です。そのトレーニングする人たちの給料は大株主のビル・ゲイツ氏が出しているからです。

また、科学者の立場から言わせてもらえば、生成ＡＩのバックプロパゲーションアルゴリズムにはそもそも「幻覚」が発生するのです。「幻覚」とは人間とは相容れない局所解のことで、生成ＡＩの解答はそのときたまたま収束した局所解です。それは人間の利益とは相容れないかもしれません。

そして、その答えが「幻覚」かどうかは人間にはわからないのです。

理由は、10層、億次元の超次元空間の偏微分方程式近似解の検証は人間の力では膨大過ぎてできないからです。

これを防ぐには人間の知識によって別のネットワークで制約をかけることで「幻覚」の発生をゼロに近付けます。超次元偏微分方程式の近似解のなかで、人間と相容れないものを排除するということです。私の会社でリリースしているトークアプリ「フォートトーク」ではすでに問題解決提案済みですので、興味のある方はお使いください。

いずれにせよ、いまのChatGPTくらいのテラバイトオーダーのデータを訓練すると、正しいか正しくないかは人間にはもうわかりません。**いまの政治家なら、ChatGPTのほうがまともな答えを出す可能性が高そうなので国会で使うのはアリ**でしょうが、最終的には国民のネット直接投票によって安全性、健全性を担保することが望ましいでしょう。

第4章
ゲームチェンジの起こし方

民主主義をあらためて考える

3章では新しい国をつくるための大枠を説明しました。この章では、いまの日本を激変させるための方法をさらに突っ込んで提案したいと思います。

「民主主義とは何ですか」あらためてそう問われたら、みなさんはなんと答えますか。

「何をいまさら。日本は国民主権。民主主義の国じゃないか」

もちろん、その通りです。たしかに「国民主権」は、日本国憲法に定められた〝三原則〟の一つ。「民主」とは文字通り「国民が主権を持つ」ことを示す言葉でもありますから、概念的な定義としては100%正解です。

では、運用的な定義となると、どうでしょう。

日本でも何かにつけて、主権者たる国民がないがしろにされることはよくあります。世界を見渡してみても、「民主主義」をうたった事実上の独裁国家はいくらでもあります。北の隣国にしたって、正式名称は「朝鮮民主主義人民共和国」です。

こんなふうに書くと、きっとこう反論される人もいるはずです。

「いやいや、日本は北朝鮮みたいな〝ならず者国家〟とは違うだろう」

でも、本当にそうでしょうか？　たとえば、旧民主党は、いまは袂《たもと》を分かち、ともに「民主」をうたう立憲民主党と国民民主党に分かれています。2012年の総選挙に敗れ下野してから、彼らが繰り返してきた離合集散に〝民意〟はあったでしょうか。

その後、政権を奪った自民党にしても、自由民主党とバッチリ「民主」をうたっていますが、近年続いていた構図は、みなさんもよくご存じの〝安倍一強〟でした。

2020年9月の首相交代時、故安倍晋三氏から菅義偉氏への〝禅譲《ぜんじょう》〟などは、さながら独裁政権のようなプロセスと言えるでしょう。コロナ禍の緊急事態という建前があったとはいえ、そこに国民の意思が介在していたとは残念ながら思えません。

もっとも、自民党の党則第6条には「総裁が任期中に欠けた場合」「特に緊急を要するとき」の特例措置として、「党大会に代わる両院議員総会においてその後任を選任することができる」「前項ただし書の規定により総裁を選任する際の選挙人は、両院議員及び都道府県支部連合会代表各三名によるものとする」という規定もありますから、形式上は正規の手順を踏んだことにはなっています。

ですが、「総裁が任期中に欠ける」ということをごく一般的に解釈するなら、想定されているのは、執行能力が物理的になくなる＝亡くなるというケースくらいでしょう。

２０２２年7月、はからずも起きてしまった銃撃事件のような緊急事態ならともかく、2回の検査入院を経ただけの、退任当時の自己申告でしかなかった状況を「欠ける」とするのは、少し無理があります。

現に安倍氏は「もう辞めます」と表明した直後に、台風10号が直撃した九州の被災地まで視察に行こうとしていたほどです。さすがにこれは周りが必死で止めたようですが、潰瘍性大腸炎の持病はあっても、少なくとも「欠ける」ような状況ではなかったのです。

そもそも、パンデミックは昨日今日起きたわけではありませんから、「特に緊急を要するとき」でもない。党員らが一堂に集まる〝密〟な状況を懸念するのであれば、党大会をリモート開催にしたって、何も支障はなかったでしょう。

党則を恣意的にねじ曲げてまでそうしなかった背後関係については、ここでは割愛するとしても、安倍氏自身が〝保身〟に走ったことは明らかです。

仮に通常の総裁選をやれば、党員人気の高い石破茂氏が当選してしまう可能性もありました。そうなると安倍氏の影響力が薄まることは避けられませんでした。

なにより一度権力の座から降りてしまえば、〝モリカケ〟問題を含むこれまでの不祥事で、自身が訴追されるリスクを背負うハメにもなったでしょう。

とにかく、政敵の台頭を阻止したいがためだけに持ちだされた強引なロジックが、それほど問題にされることもなくまかり通る状況は、疑いようのない権力の濫用です。国会議員という特権階級の思惑ですべてが決まる世界はそれこそ、北朝鮮や韓国にかつてあった〝両班《ヤンバン》（特権官僚階級）〟そのものです。

権力の委譲が正しく行われていない、という点においては、「朝鮮民主主義」も「日本民主主義」も五十歩百歩。そこにさしたる違いはないのです。

たしかに国会議員は、選挙という〝民意〟で選ばれた国民の代表です。

ですが、本来的な意味での「民主主義」の実現を阻んでいるのが、実はこの選挙というシステムそのものであることに、みなさんも早く気づかれたほうがいいでしょう。

選挙制度の根幹をなす代議員制や過半数ルールは、選ぶべき選択肢として本当に妥当で最善か。主権者たる私たちは「民主主義」的な社会を形づくってきたとされる、そうした大前提にさえ、しっかりと疑いの目を向けていくべきなのです。

国会議員45歳定年制でゲームチェンジ

会社員にはある定年が、なぜか国会議員にはありません。

２０２１年の総選挙では〝重鎮〟とされた大物議員の引退や落選が相次ぎ、多少は若返った感もありました。ですが、それでも当選議員の平均年齢は55・５歳でした。内規に「73歳以上は原則公認しない」とあるはずの自民党では、御年84歳の二階俊博氏なども、２０２３年秋の時点でいまだ〝現役〟です。

日本のグランドデザインを議論する場所であるはずの国会が、なぜかその未来に、ほぼ関わりのない高齢者たちによって占められている。

こうした不健全な世代構成を抜本的に変えていくアイデアとして、以前から私が提唱しているのが、**「国会議員45歳定年制」**です。

そもそも、国会議員は大真面目にやれば、かなりのハードワークです。

朝８時頃には事務所に入り、夕方近くまで何本もの会議に出なければなりません。その間には有権者からの陳情に耳を傾けたり、法案をつくったり。さまざまな研究会などにも頻繁に顔を出せば、すべてが終わるのはゆうに毎晩8時、9時を超えてきます。

　まっとうな議員であればあるほど、こうした生活をほぼ休みなく毎日続けていくことになります。要職に就けばさらに過酷さは増します。本来であれば、とても還暦を過ぎた〝お年寄り〟たちに務まる仕事ではないのです。

　にもかかわらず、後期高齢者となってもなお現役といった議員は数多くいます。これは、彼らが実質的に働いていないからです。

　選挙が終わってしまえば、そこから先は書類やデータにパラパラと目を通すだけ。ほかにやることと言ったら、夜ごとの会食、本来はしなくてもいい地元への利益誘導に精を出すくらいのものではないでしょうか。

　ちなみに、私の見てきた限り、そういった「本来はしなくてもいい」ことを〝本業〟にし始めるのは、地元にも盤石《ばんじゃく》の地盤ができてくる40代を過ぎてから。

　そこで、そうなる前に彼らを国会議員でいられなくする、というのが「45歳定年制」の最大の狙いです。この国の行く末に無責任でいられる世代には、〝老害〟と化す前に、政治の表舞台から強制退場してもらえばいいのです。

ただ、永田町というのは、非常に特殊な世界でもあります。一人前の〝先生〟として、周囲の信頼を勝ちえるためには、物理的に20年近い年月がかかります。

そのため、45歳定年ならば、少なくとも20歳前後で〝政界進出〟しておく必要があります。ですから、被選挙権年齢は大幅に引き下げます。場合によっては、義務教育を終えると同時に与えられるくらいのことをしてもいいかもしれません。

15歳で国会議員になったら最初の５年は、実務を取り仕切る秘書の使い方や、霞が関との付き合いといった〝永田町村〟の流儀を学ぶ〝見習い期間〟に充てればいいでしょう。

そうすれば、20歳から本格的に始動したとしても、25年は仕事ができます。

国会議員には有能な秘書も不可欠ですから、辞めても「まだやれる」年齢である彼らには、定年後の受け皿として指南役、裏方に回ってもらえばいいのです。

「言うのは簡単だけど、そんなことできるわけないでしょう」

もちろん、いまのままでは絶対に無理です。既得権益どころか、存在そのものを否定されるに等しい現職の国会議員たちはこぞって反対するでしょう。

しかし、ざっくり全人口の４分の１弱、２８００万人近くはいる18歳～30代の国民一人ひとりが、「次の選挙では45歳以上の候補者には投票しない」という意思表示を明確にすることができれば、それだけで世の中は劇的に変わります。

世間一般には〝老害〟扱いの40代が当たり前のように「若手」と呼ばれ、大多数の議員自身がこの世にいない20年、30年先の〝未来〟について話し合う……。

そんないびつな構造を是正するためにも、国会議員は若ければ若いほどいいのです。

いまの国会を見ると、たくさんの議員が居眠りをしているか、議決の〝数合わせ〟のために、ただそこに座っているだけ。

政治はズブの素人であるタレント議員が幅を利かせる現状は、秘書が有能なら議員の仕事はそれなりに務まるという証でもあります。ただ座っているだけなら、未来の担い手で志ある10代のほうが、よほど適任だと言えます。

いつの時代もパラダイムを大きく変えてきたのは、その時代の当事者の若い力でした。そのよし悪しは別として、明治維新の〝立役者〟も、当時はみな20代の若者です。

２０１９年12月に就任した北欧フィンランドのサンナ・マリン首相も、22年3月に当選した南米チリのガブリエル・ボリッチ大統領も、就任当時は30代です。

世界を見渡せば、国家を引っ張る若いリーダーはいくらでもいるのです。

日本式の大統領を選び出せ

国会議員の定年を45歳にしたら、次は国民が直接選ぶ大統領制を導入しましょう。

なぜ、そんなことをする必要があるのか？

それはひとえに、いまの天皇が権力を持っていなさ過ぎるからです。

日本国憲法に定められた天皇はあくまでも「国民統合の象徴」ですが、諸外国から見た天皇は、まぎれもない「エンペラー」。「日本の国家元首は誰か」との問いへの答えは、やはり国際的にも天皇こそがそれに当たるのです。

各国の駐日大使が、着任と同時に皇居に出向いて挨拶をするのをいまでも慣例としているのも、天皇とは元来そういう存在だからです。

だからこそ、元首たる天皇の名代とも言うべき役職＝大統領を新たに設けて、それを国民が直接選べるようにすべき、というのが私の持論です。

〝天皇にいっさいの政治的権限を持たせない〟という従来の象徴天皇制については、日本固有の文化として維持しつつ、内閣や国会に対して絶対的な権限を持つ存在を、私たちがいつでも選べるようにするわけです。

時の首相への任命権はいまでも天皇にあるのに、一方でそれを罷免する権利は持っていない。儀式でしかない〝任命〟など、政治的には何の意味もありません。

「そんなことをしたら独裁者が生まれてしまうのでは？」

そう危惧される人もおそらくいるでしょうが、実際はむしろ逆です。

与党の〝一強〟を許しているいまのほうが、はるかにその危険性は高いでしょう。

人間のやることですから権力の一極集中が起きれば、どうしても煩悩は出てきます。そこに「選挙で選ばれた」という大義名分が加われば、なおさら暴走はたやすくなるのです。

ナチスを率いたアドルフ・ヒトラーも、元をただせば選挙によって正当に選ばれているわけですから、なんらかの抑止装置はあるに越したことはないはずです。

では、具体的にはどうするか。

私が提唱する**〝日本式の大統領〟に持たせる権力はたったの二つ。国会で通ったすべての法案に対する拒否権**と**内閣総理大臣の罷免権**、これだけです。

場合によっては、わざわざ天皇自らが出向くまでもない諸外国への歴訪なども、元首の名代の大統領に代わって行ってもらえばいいでしょう。

もちろん、アメリカ大統領のような行政令まで出せる強い権限を持たせるか否かの議論は別にあってもいいですが、委ねる権限は基本的に先に挙げた二つです。

しかも、内閣や国会から独立した存在である大統領は、当然法案提出権などは持ちませんから、権力を濫用される心配はそもそもありません。

私たちが直接選ぶリーダーなので、その人物の振る舞いが大統領として不適格と見なされたときには、すみやかに罷免すればいいだけです。

自民党が絶対安定多数を維持するいまの政治体制のもとでは、内閣と国会はもはや一体と言えます。とりわけ第2次安倍政権下で進んだ内閣への権力集中によって、互いに抑制しあうはずの〝三権分立〟はすでになし崩しとなっているのが実情です。

司法権にも、裁判官人事などを通じて実際に内閣が介入を始めているくらいですから、事態はみなさんの考えている以上に深刻なのです。

自ら改憲草案を発表するなど「憲法改正」を悲願としてきた自民党は、緊急時の衆院解散や国会での内閣不信任決議の禁止を盛り込んだ、「緊急事態条項」の新設に向けた動きも、本格化させつつあります。

緊急事態に対処するための具体的な方策はたしかに必要でしょう。文字通りに「国を挙げて」物事に対応すべき局面も、この先ないとは言いきれません。ただ、それらの危機的状況に対処するのは、第一党の党首として国会議員から信任を受けたに過ぎない時の首相でなくていいわけです。

戦前のドイツや日本と同じ失敗を繰り返すリスクを甘んじて受け入れるくらいなら、直接選ぶことで私たち一人ひとりが責任を負う「大統領」にすべてを託しましょう。そのほうが後々を考えてもよほどすっきりするというものです。

「大統領」というと、圧倒的な権力を持つアメリカのそれをイメージしがちです。しかし、アンゲラ・メルケル前首相で有名なドイツにも大統領はいますし、エマニュエル・マクロン大統領が率いるフランスにも首相は別にいます。

であれば、天皇のもとで首相と大統領が共存する〝日本式〟もあっていいでしょう。

わが国の議院内閣制が、同じく〝王室〟をいただくイギリス議会を参考にしたからといって、それがいまも合理的な選択とは限らないのです。

代議員制が解体される日

4章の冒頭で私は、選挙というシステムが実は民主主義の実現を阻んでいる。その根幹である代議員制や過半数ルールの妥当性を疑え、と書きました。

ここではそのうち、代議員制について考えていきましょう。

ここでおさらいをしておきましょう。代議員、つまり国会議員がなぜ必要か。それは、国民がゼロから法案をつくり、それを個別に精査して議決まで持っていくのは、物理的に無理だから。だったら、それらを専門に行うプロフェッショナルがいたほうがいいよね、というのが制度の基本的な論理です。

たしかに、国会で審議される法案は、継続審議となっているものまで含めると多いときで年間300件近くと膨大です。すべてを細かな内容まできちんと把握したうえで、その可否を判断することは、ほとんどの人にはできません。

そもそも、できるようになる必要性もありませんし、仮に1億人の国民が好き勝手に法案をつくれるようになったら、それこそめちゃくちゃになります。

ただここで一つ問題なのは、本来〝立法〟のプロフェッショナルであるべき国会議員の大多数は、法案づくりに直接関わってすらいない、ということです。

とりわけ内閣と一体である与党、少なくともいまの自民党の議員のほとんどは、実務を内閣法制局に丸投げしていますから、自分でつくったことはおそらくないでしょう。なかには「私は○○という法律をつくりました」などと、対外的にその実績をアピールする人もいます。ですが、それをつくったのは多くの場合、専門知識とスキルを持った官僚であって彼らではないのです。どこかのＩＴ社長が、部下に命じてつくらせたプログラムを「あれはウチでやった」と得意げに語るのと、何ら変わりありません。

もちろん、法律をつくるときには、それを所管する省庁ごとに蓄積されてきた細かなノウハウが必要になります。法律が後々まで人を縛ることになる以上、用語一つでも揚げ足を取られるようなことがあってはいけません。ですから、そこはスペシャリストたる官僚の出番。専門スキルをおおいに発揮してもらえばいいでしょう。

ですが、大前提として法律をつくることができるのは、公職選挙法で定められた「国家公務員」たる国会議員だけです。また、日本国憲法では彼らのみを「公務員」と言います。ただ、現在の自民党憲法改正草案では、選挙で選ばれていない国家公務員を「公務員」とするとあり、憲法改正案の後ろに、選挙で選ばれていない人がいることがわかります。

各省庁を所管・監督する上部組織として、「委員会」が国会に設けられていることからもわかるように、多くの人が「公務員」だと思っている官僚は、憲法上の立場としてはそのお手伝いに過ぎません。

にもかかわらず、国会の主体である「公務員」たる国会議員の多くが、数ある職務のうちでも最も重要な「法律をつくる」という作業にほとんどタッチしていないのです。

官僚出身の自民党議員や、内閣法制局を使えない野党議員のなかには、議員立法に積極的な人もいます。ところが、予算をともなうような重要法案を実際につくっているのは、ほぼ官僚です。衆参両院で７１３人という数を見て、「本当にそんなに大勢の議員が必要？」と疑いたくなってもきますよね。

一方、21世紀にはＩＴ技術が高度に発達しました。３章でも説明したように、代議員によらずに私たち自身が判断を下す〝直接民主主義〟もすでに可能になっています。

ＡＩを使えば、性別や年齢、職業や居住地といった属性ごとに、細かな振り分けもできますから、いまよりも合理的と言えます。

たとえば、2022年4月から保険適用となった不妊治療などは、これから子供を産み育てる若い世代だけを対象とすれば、その可否はもっと迅速に判断できたでしょう。

いまや与党議員の多くは、内閣の決定に盲従するだけの〝数合わせ〟でしかありません。対する野党は「与党が賛成ならば」とやみくもに反対票を投じるだけです。

活発に議論を戦わせることもなく、多くの重要法案をただ機械的に可決成立させるのが国会の役割なら、いまの代議員制度はいっそ解体しましょう。法案ごとにピンポイントで対象を絞って、私たちが直接判断できるようにすればいいのです。

「国会議員45歳定年制」を提唱したそばからこんなことを言っては元も子もありませんが、自身の支持者にばかりいい顔をして、地元への利益誘導に熱心な国会議員たちにすべてを委任するよりは、何者にも縛られないサイバー空間のほうが、議論もよほど自由に行われるでしょう。より広い民意もストレートに吸い上げることができるはずです。

法律づくりの実務に通じた、優秀な官僚たちをこの国はすでに大勢抱えています。

だとすれば、つくられた法案に対して、イエス・ノーを言うのは、国会議員でなくてもいい。サイバー空間でなら実現できる〝直接民主主義〟に移行するのも、国を変える選択肢としてはおおいにアリな気がしませんか？

〝一票の格差〟を肯定せよ

次に、過半数ルールの妥当性です。これは、本来代議員制とセットで論じるべき問題ですが、ここでは便宜上、二つに分けて考えていきましょう。

過半数ルールいわゆる〝多数決〟は、選挙、企業の株主総会やM&Aなど、あらゆる場面で物事を決める最も公平性の高いルールとして、すっかり浸透しています。

ですが、ジェレミー・ベンサムの提唱した「最大多数の最大幸福」が、私たちの目指す「民主主義」の理想とするなら、これほど不公平な決め方もないですよね。

場合によっては、49・99％の人が不幸になる可能性を秘めているわけですから、多数決にはやはりシステム上の欠陥、弊害があると言わざるをえません。

実際、自民党は、２０２１年10月末の総選挙で、〝絶対安定多数（与党の安定した国会を運営のために必要な議席数の目安）〟を確保し大勝しました。一方、全有権者のうち自民党に投じられた票数の割合を示す〝絶対得票率〟は、小選挙区で26・３％。より民意を反映しやすいとされる比例区ではわずか18・9％と、4分の1にさえ達していないのです。

もちろん、建前上は選挙区ごとに過半数の民意を反映していることにはなっていますが、そこには残る75％の意思は入っていません。そんな状態をもって〝国民の総意〟としてしまうのは、さすがに乱暴過ぎるでしょう。

ただ、世界中のどこを探しても、過半数ルールに勝る方法はまだ見つかっておらず、現行制度のもとでこれらを是正していくのは簡単なことではありません。

２０２２年、〝一票の格差〟を是正する試みとして、小選挙区の区割りを変える〝10増10減〟の改正公職選挙法も成立しました。ところが、区割りを変えたところで、〝死に票〟が数多く出るシステム上の欠陥は変わらないのです。

49・99％の人が不幸になる可能性は残されたままです。

そこで私がお勧めするのが、有権者を法案ごとに絞り込むサイバー投票制です。

3章でも触れたように、この方法なら代議員制によらない〝直接民主主義〟が実現できます。投票の対象となる法案の内容によって母数は変わりますから、過半数ルールを維持したままでも、〝死に票〟の少ないより正確な民意を反映できます。

投票権を与えられる対象者の抽出もＡＩが自動的に行いますから、投票行動が恣意的にねじ曲げられてしまうおそれも減ります。
「そんなことをしたら、ますます格差が広がるじゃないか」。こう思われる人もいるとは思いますが、そもそも〝格差〟はあっていい、と私は考えています。

現在の国会でも、あらゆる法案は必ず財源とセットで審議されます。法律をつくるということは、すなわち、国民から集めた税金の使い道を決めるということでもあります。ですから、それらについて決められる権利を持てるのは、本来であれば税金をきちんと納めている人だけでいいはずです。

不妊治療のような先進医療の保険適用を拡充する、といった法案審議に参加できるのは当然、社会保険や国民健康保険の保険料を全額納めている人だけになります。反対に、全国民から一律に徴収している消費税の使い道を決めるのであれば、18歳以上とは言わず、未成年に投票権を与えることも、サイバー投票ならできるのです。

もっとも、私は「一定の年齢を超えた人はどんな法案でも平等に投票権を持つ必要はない」「〝一票の格差〟はむしろあっていい」と言っているだけで、その他の基本的人権はこれまでと変わらず保障されるべきだと考えています。

これらはあくまで、過半数ルールを前提とした場合の改善案として挙げました。

地域によって投票の重みが変わる〝一票の格差〟をことさら問題にして、おためごかしの区割り変更に必死になるより、**初めから〝各人が持てる一票に格差をつける〟ほうが、よほどスマートでわかりやすい**のではないでしょうか。

しかも、こうしたサイバー投票制が実現できれば、この国の「民主主義」に歪みをもたらしてきた元凶でもある、最たる格差――地盤、看板（＝知名度）、カバン（＝資金）のいわゆる〝三バン〟――によらない本当の意味でクリーンな選挙が行えるのです。

〝三バン〟を後ろ盾にふんぞり返っている世襲議員たちの意見のほうが圧倒的に通りやすい。こうした現状は、まさに「一票が平等ではない」ことの証でもあるのです

投票資格試験制度を導入せよ

地域間の〝一票の格差〟は小選挙区制の弊害としてよく槍玉に挙げられます。それとは別に、この国の政治システムにはもっと大きな格差があります。

前項でも触れた〝世襲議員〟の異常な多さです。

現在の国会でも、おおむね３人に１人が３親等以内の親族に議員経験者がいる世襲議員です。自民党の衆議院議員に限れば、割合はさらに増します。

平成元（１９８９）年以降に誕生した19人の内閣総理大臣のうち〝非世襲〟はたったの６人。〝非世襲〟をウリの一つにした菅義偉氏の首相就任は、自民党では海部俊樹氏以来、30年ぶりのレアケースでもあったのです。

世襲議員を取り巻く問題の根深さについては、拙著『世襲議員という巨大な差別』（サイゾー、２０２１）で詳述していますから、あわせてご一読いただければと思います。ここでの最大の問題は、明らかな〝格差〟がそこにはある、ということです。

私が独自に計算したところでは、親または祖父母が衆院議員だった人の小選挙区における当選確率は、**そうでない人より実に2300倍も高い**のです。かねて問題視されてきた〝一票の格差〟などの比ではありません。

2022年の公職選挙法改正の根拠となった、21年10月の総選挙でも、選挙区の地域格差は最大2・08倍でした。この「2300倍」がいかに異常な数字かがおわかりいただけるでしょう。

こうした〝持てるもの〟である世襲議員たちが要職の大半を占め、そこでの権力の委譲さえもが〝密室〟で行われるようになっている。それがこの国の政治の実情です。

だとするなら、メスを入れるべきは〝地域〟よりも〝世襲〟にあります。

同じように政治を志したとしても、〝持たざるもの〟である一般国民と、彼らの間には2300倍もの格差がある。このアンフェアこそを正す必要があるわけです。

もちろん、「世襲の全面的な禁止」などを盛り込んだ法案もおおいに議論されるべきだとは思いますが、私個人は「格差はあってもいい」との立場です。

ですから、ここではあえて「**投票資格試験制度**」の導入を提唱したいと思います。

端的に言うと、これは投票権に段級位を設けて、各分野で試験を実施。昇級・昇段によって個人の持てる票数を加算していくものです。

実際に法案を精査して投票する権利を与えるわけですから、科学や医療、人文、スポーツ、外交や貿易、防衛など、試験では分野ごとに専門知識を問われます。

たとえば、科学の10級からスタートして１級をパスすれば、科学分野の法案には10票分が加算される仕組みです。導入されれば、友人どうしで「俺は〝防衛〟はまだ３級だけど、スポーツは１級だぜ」といった会話も日常的になっていくかもしれません。


「いきなり苫米地は何を突拍子もないことを言いだすんだ」

たしかにトリッキーですが、なにしろ相手は私たちより２３００倍も優位に立っている〝持てるもの（世襲議員）〟ですから、これくらいのゲタは履かせてもらいたい。

たとえば、社員数十人程度の小さな会社で直属の上司に盾突こうとしたら、少なくとも３人くらいの〝同志〟は必要になるでしょう。部長クラスが相手となれば、その人数はもっと増える。数万人規模の社員がいる世界的な大企業で同じようなことをやろうとするなら、万単位の〝決起〟がおそらく必要なはずです。

このように、強大な相手にも対抗しうる力を、試験によって〝持たざるもの〟に与えようというのがこの制度の核です。

図表7　投票資格試験制度のイメージ

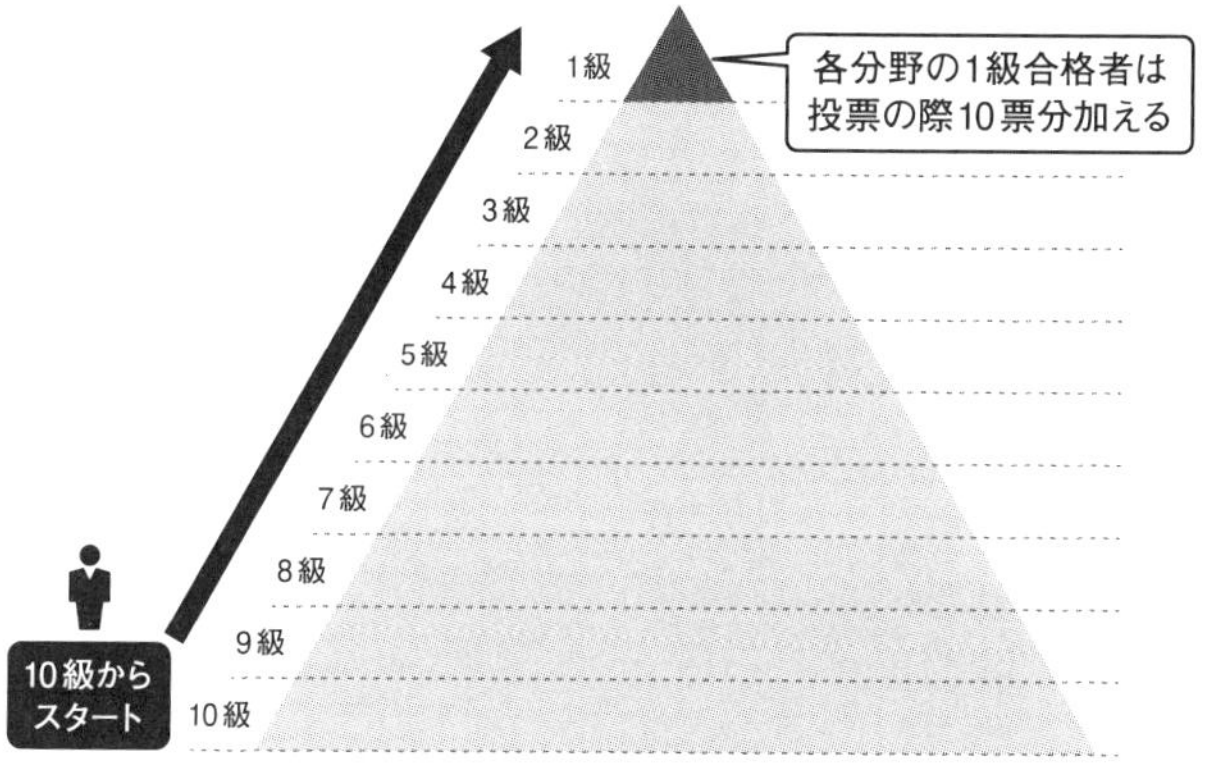

科学、医療、人文、スポーツ、外交、貿易、防衛などの専門分野がある

最上位の試験を現行の司法試験よりちょっと上くらいの難易度にしておけば、その分野に精通している人の意見をより直接的に反映させられるようになります。私たち個人も、努力次第でいまより大きな力を持つことができるというわけです。

〝数の論理〟による多数派工作は、それこそ内部の権力闘争に明け暮れる自民党の各派閥が得意とするところでもありますが、それを裏でやるからアンフェアも起きるのです。

表でオフィシャルに制度化してしまえば、透明性も担保されます。いまよりはフェアな状況下で物事を決められるようになるでしょう。

理想を掲げてバッジをつけたはずの多くの政治家が〝三バン〟に縛られるあまり本質を見失っていきます。こうした現状を考えると、有権者がより多くの投票権を得るために〝投票予備校〟のような場所に通ったりするほうがよほど健全で建設的です。

選挙の仕組みをサイバー化する〝eガバメント〟〝直接民主主義〟とともに、〝投票資格試験〟は、真の「国民主権」を実現させる第一歩でもあるのです。

第5章
ボロボロの教育システムとリーダーを超えてゆく

職業訓練ではなく基礎学問《リベラルアーツ》が正解

日本では学歴だけが大切だと判断されることが多く、大学で学ぶということになかなか意義を見いだせないようです。仮に学んでいたとしても欧米の大学ほどではありません。ハーバード、イェール、カーネギーメロンといったトップスクールの学習量は尋常ではありません。１日20冊の専門書を読むのは当たり前で、これについていけなければすぐに退学処分になります。私がかつて学んだイェール大学院では１学期で半分以上の学生がいなくなっていました。日本の学生の学び方、学習量は総じて少ないのです。

なぜ、日本の大学がこうなってしまったのかと言えば、日本では大学の位置付けが職業訓練所になってしまっているからです。就職のためのコネづくりであったり、就職するまでのモラトリアムの期間だと思って遊んでいる人間までいます。そして、３年生になれば就職活動が始まり、学習どころではなくなります。

職業訓練や就職活動のためなら専門学校に行くべきです。ＭＢＡやロー・スクールはまさにそのためにあるわけで、学ぶことと就活はまったく別ものです。

大学は基礎学問を学ぶところなのです。その基礎学問がリベラルアーツですが、このリベラルアーツもまた誤解されています。

リベラルアーツはギリシャ・ローマ時代の「自由7科」と呼ばれるもので、文法、修辞、弁証、算術、幾何、天文、音楽を指しますが、これを学びさえすればいいというものではありません。修辞、弁証は哲学であり、算術、幾何は数学のことですが、現代において哲学も数学も枠組みが変わってきていますから、この7つを学べば、それでOKとはいかないのです。

日本人に欠けているのは基礎学問を学ぶということです。基礎学問とはいわば「教養」です。大学では「教養を身につけてほしい」ということです。

しかし、一言で教養と言ってもどこから手をつけていいのかわからないでしょう。自由7科を学べばいいと言われても、哲学、歴史、文学の何を学ぶのか、こういったことをほとんどの日本人は考えたことがないでしょう。

そもそも、日本では学ぶことを勉強と言います。強いて勉めることが学ぶこととされているので、受験勉強が学ぶことだと思い込んでいます。

しかし、学ぶというのは教養を身につけることです。身につけるとは、それを自分のものにすることを言うのです。たとえば、文学部の学生で言えば本を読むことです。そんなの当たり前じゃないかと思った人も多いでしょうが、文学部でやっているのは特定の作家や時代の文芸批評、文芸理論の研究でしょう。しかし、それは応用学問であって基礎学問ではありません。

文学における基礎学問とは歴史的に重要な書物を読むことです。聖書やシェイクスピアを読むことであって、シェイクスピアを研究することではありません。基礎学問の基本は読むことなのです。

まずは本を読む。読むだけで、それについての批評はいりません。手当たり次第、古典と言われるもの、名著と言われるものを読むのが最初です。大学にある図書館の本のすべて、文学部であればありったけの古典文学を読むことで基礎学問は身につきます。

まずは読んで味わってください。それが先人の残した抽象度の高い思考をなぞる訓練になるのです。批評はそのあとです。まずは抽象度の高い思考の模倣から始めてください。空手の型を学ぶように、先人の抽象度の高い思考をなぞるのがリベラルアーツということなのです。

続いて、歴史の学び方ですが、学校で教えられたことは基本的に間違っています。

そもそも歴史は勝者がつくったもので権力者を肯定する「偽歴史」です。歴史を学ぶとは、その偽歴史がどうつくられたかを探求するもので、歴史学者の仕事とは歴史を覆すことなのです。

学校では王の側がつくったストーリーを丸暗記することを推奨します。しかし、歴史を学ぶということは、王がそう望む物語から離れ、事実と正面から向き合うことを言うのです。そこに歴史の真実があり、現在を理解する鍵があるのです。歴史は現在とのつながりのなかで考えるものなのです。

最後に哲学の学び方もお話ししましょう。そもそも日本では哲学を誤解しているところがあります。プロ野球の野村克也監督の「野球哲学」みたいなものを「哲学」と思っているふしがあるのです。しかし、これは哲学では当然ありません。一言で言えば、処世術です。

哲学を学ぶとは分析することです。基本的にはメタフィジックス（形而上学）という分野のなかで学ぶ、主に論理学のことを言います。その論理学の方法論が進化して生まれたのが非単調論理（帰結関係が単調ではない論理のこと）などで、それを使って世の中の出来事を分析したり、思想を分析することが哲学の仕事なのです。

もう一つ、哲学のなかで特にいま学んでほしいのが倫理学です。倫理学は高度な抽象的な思考をともなう哲学の一部であり、リベラルアーツのコア教養になります。

個人のゴールや行動だけでなく、集団や国、国際社会にまで関わる倫理ですから、動物的な欲求行動とは真逆のものになります。つまり、目先の利益や既得権益の維持にあくせくしているいまの日本の政治家にはないものが倫理ということです。

少し皮肉めいた言い方になりますが、私が知る、高い倫理観を維持している政治家たちは政治の重要なポジションにつくことができません。日本の政治家は倫理ラインを下げないと偉くなれないのです。最近では、抽象思考ができない人をわざわざ選んで偉くしているようにすら感じます。そのほうがコントロールしやすいと、長老議員や大企業、外資系企業は判断しているからでしょう。

最も怖いのは、いまの大卒レベルの若者たちが抽象思考のできない人をかっこいいと思ってしまうことです。メディア露出が多いというだけで、政治家に選んでしまう彼らを見て、倫理学の必要性、リベラルアーツの必要性を痛感するのです。

みなさん、もっと学びましょう。抽象度を上げて、この世界を見渡してください。それによりいまの閉塞した日本、戦争や暴動が絶えない世界を変えていくことができるのです。

被支配者教育はやめて、天才教育に注力せよ

日本の教育の問題点はエリート教育になってしまったことでしょう。

東京大学、慶應、早稲田といった一流大学を卒業し、一流企業に入る。そこで出世するのが結局は成功者への近道、権力者になるための道へとつながるとみんなが思い込んでしまっていることです。

しかし、これは大きな勘違いです。

たしかに一流大学に入学した学生たちは、勉強はできます。東京大学理学部の1番、2番の成績を取っている学生であれば、たぶん、日本の理系で1番、2番でしょう。

しかし、それでいいのでしょうか？

世界における東大の大学ランキングはだいたい30位くらいです。そこで1番を取ったところで結局30位のなかの1番でしかありません。

日本がいま戦っているのは世界のはずです。そのなかで見ていくと、東大で1番という称号はかなり色あせてしまうのです。

彼ら一流大学を突破した人々はいまの日本でいちばんかしこい人たちと言えるでしょう。しかし、現在の日本のレベルが、世界全体のなかで地盤沈下を起こしているのは、彼ら〝日本でいちばんかしこい人たち〟が30位のなかの1番であることに甘んじている、いえ、そのことに気づいてもいないことに原因があるのではないでしょうか？

もちろん、彼らはエリートです。しかし、それは日本国内の話だけで、世界では通用しないエリートなのです。

それの何が悪いのか？

もしかしたら、そんなことを思った人がいるかもしれません。国内のエリートでも十分に成功者になれるし、日本でトップクラスになる学力を身につけたことに何の問題があるのか、と。

当然、私もそこに文句を言うつもりはありません。

ただし、いまの日本のエリートがどういうものかご存知でしょうか？

たとえば、エリートの代表である官僚を見てください。彼らはたしかに優秀ですが、日本の舵取りを任せることに不安を感じている日本国民は少なくないはずです。不安を感じる理由は彼らが「忖度をする人たち」だからです。

彼らはたしかにエリートです。しかし、それは被支配者としてのエリートなのです。支配されることに従順な、指示されたことは確実に実現させるエリート。言うなれば支配者にとって都合のいいエリートなのです。

もしも、本当に彼らが優秀であれば、いまの日本の地盤沈下はありえないでしょう。30年間経済成長が止まっている先進国は日本だけです。GDPではドイツに負けて4位が確定し、いまやインドにも抜かれそうな勢いですし、一人当たりのGDPは2023年に韓国に抜かれます。

日本のトップが優秀ではないから、いまの日本の衰退があるのです。

そして、日本のトップから優秀さを削いでいるのがいまの日本の教育制度です。

問題はいまのエリート教育なのです。

といっても、私はエリート教育をやめるべきだとは思っていません。それどころかもっとしっかりエリート教育をするべきだと感じています。

本物のエリートを育てるための超エリート教育。これこそが日本にいま必要なのです。

では、超エリート教育とはどういうものかというと――。

天才教育です。

たとえば、欧米諸国の教育では飛び級という制度があります。天才的な頭脳を持っている学生に対しては相応の高等教育を早い段階から与えていくことで天賦の才を伸ばせるだけ伸ばしていくものです。

私もアメリカの学校で経験していますが、中学生であっても高校、大学の授業が受けられるのです。大学から教授が私のためだけに中学校にきてくれていたのです。優秀であれば小学生で大学に入学し、1年後には大学院に入って10代の半ばで博士号を取ることも可能です。

天才は天才として育てていく。アメリカのイェール大学やカーネギーメロン大学、ハーバード大学、イギリスのオックスフォード大学の天才たちにも引けを取らない、それどころか彼らを凌駕するような天才を育てることが、新しい日本にとって重要になってくるのです。

といっても、一人の天才が生まれれば、あとの人間はどうなってもいいということではありません。

現状の教育制度が天才の芽をつぶす制度になっているのが問題だと言っているのです。学習の機会を国民全員に平等に与えるというのはとても良いことです。

これと並行して天才を育てる教育によって世界で通用する人材、世界をリードしていく人材を育てることが重要なのです。

ただし、制度をつくるだけでは天才は育ちません。

天才を発掘する作業が必要になってきます。

たとえば、アメリカのトップスクールでは中高生の頃から「天才はいないか」とウォッチしていて、非凡な生徒がいればその時点でリクルートしているのです。トップスクールの教授クラスが各学校を回ってかしこい子供たちをスカウトし、奨学金を渡しているということです。

日本もこれを30年くらいかけてやっていく。そうすれば、日本は確実に生まれ変わることができます。

被支配者を育てる教育はやめて、天才を育てる学問の世界をつくる。

日本転生にはこれが重要です。

新・教育制度は10年間の基礎学問

「天才を育てる学問の世界」が喫緊の課題ですが、天才ではない人たちはどうしたらいいでしょうか？

そこは平等の世界で誰でも学びたい人は学べる世界のままでいいでしょう。ただし、これからの日本では学ぶ内容が変わってきます。受験勉強のための学習をするのではなく、**国民すべてに対して、中学、高校、大学の合わせて10年間で本物のリベラルアーツを提供する、**ということです。

日本の学問の世界は残念ながら受験のためであったり、就職のための専門教育であったりで、学問のための基礎知識を学ぶ機会がほとんどありません。リベラルアーツとはこの学問を修めるための準備段階としての基礎知識、頭に入っていて当然のデータベースづくりのことで、これを中高大の10年間かけてみっちり学びましょうということです。

リベラルアーツの詳しい内容に関しては別項（P.１６５参照）でお伝えしましたが、わかりやすい例を一つ挙げれば「本を読む」こと。古今東西の哲学書、歴史書、古典文学、経典など、学問を習得するうえで読破しておかなければいけない書物は無数にあります。これらを徹底的に読んでおく。要は、これまでの人類が積み上げてきた叡智を自らの頭のなかに取り込むことが大切なのです。

データベースづくりとは、文字通り、データを集積させることになります。ただし、人類の歴史約４０００年分ですから、普通に10年間くらいはかかるでしょう。専門教育は人類の叡智を積み上げたあとに大学院で行えばいいのです。

現状の日本の大学教育は、医学部や理工学部、法学部、経済学部、商学部といったものまであって完全に応用学問になってしまっています。はっきり言えば、専門学校と言っていいものです。実際、法学部では大学４年間で弁護士資格の取得を目標としています。

一方、アメリカで弁護士になろうと思うと、大学を卒業後、ロー・スクールに通ったのちに各州の弁護士試験を受けて弁護士になります。医者になる場合は大学卒業後にメディカル・スクールに通ってM.D.を取得しなければ医師にはなれません。日本の大学のように、学部には法学部、医学部という概念がないのです。

大学４年間は徹底的に基礎学問をやるものなのです。学問をするための土台を身につける期間なのです。

また、学生は学問に専念するため、この10年間はアルバイトや就職活動は禁止にするべきでしょう。現実問題として、リベラルアーツを学んでいる最中にアルバイトなどをやっている時間はないはずです。


たぶん、ここで「苫米地の言うことはわかった。リベラルアーツは大切だと思う。しかし、現実問題として大学に通うための資金があまりない人間はどうしたらいいのか？現実の大学生の多くは学費を稼ぐためにアルバイトをしている。彼らを切り捨てろというのか？」という疑問がわいてくる人もいるかもしれません。

もちろん、彼らを切り捨てる必要はありません。さきほどから言っているように、天才以外の人たちは平等の世界を実現させるべきです。

ですから、新しい日本の教育制度として必要になってくるのが大学の無償化です。現在、小学校、中学校は義務教育であり、高校も無償化になりつつあります。これを大学にまで広げるのです。

ただし、地方から出てきて家賃がかかるなどの生活費の面で苦労する学生も出てくるでしょう。そういう場合はベーシックインカムをつける。いちばん望ましいのは遅くとも18歳になったら国民全体に一律25万円のベーシックインカムがもらえるようにすることです。このようにベーシックインカムは教育の底上げにも重要な制度になってきます。

ところで、みなさんは日本の大学進学率がどのくらいだと思いますか？

80％？　90％？　いずれにせよ、かなり高いと思っているでしょう。

実は２０２２年で56・６％といった状況です。意外な低さに驚かれる人も多いでしょうが、過去最高の数字なのです。日本は私たちが思っているほど大学進学率は高くないのです。

対してアメリカでは62％という数字で、大学世界ランキング１００位以内に入っている大学は38校と世界一です。

これが国力の差、人材の差となってあらわれているのです。

となったら、教育制度にテコ入れするのは当然です。

現在、義務教育は中学までですが、これを高校までにする。義務教育化ということは高校卒業までは親の義務になるということで、もしも、親の所得が足りずに学校に行けないとなったら自動的に高校卒業までは国が学費と生活費を払うのです。

そのうえで、大学の無償化です。国立大学は授業料の１００％免除。加えて18歳になれば、自動的にベーシックインカムがつきますので学業に専念できます。

私立大学に関しては授業料の無償化は必要ありません。国立大学で十分であるのに、わざわざ私立を望むというのは学生本人の都合になります。なかには「どうしても慶應に、何がなんでも早稲田に」という人もいるかもしれません。しかし、それは卒業生が面倒を見るべきでしょう。

というのも「家の事情でどうしてもイェール大学に、どうしてもハーバード大学に」という人はアメリカにもいるからです。ただし、イェールやハーバードの経営は卒業生たちによる多額の寄付でまかなわれています。だからこその名門私立なのです。ですので、無償化は国立大学だけで十分でしょう。

大学卒業後は大学院に進んで研究職につく人間と就職する人間に分かれます。院に行きたい人はそのまま院に進めばいいでしょう。就職に関しては大学4年間を終えたあとに1年間の就職活動をオプションでつけてもいいでしょう。もちろん、その期間も当然ベーシックインカムはつきます。

このような教育制度に変えていくことで日本は新しく生まれ変われるのです。

地政学《ジオポリティクス》教育が日本をひらく

刻々と変化する世界を的確にとらえ、日本の未来をつくるために、いまこそ必要な学問があります。これからのわが国を語るうえで重要になってくる**地政学＝ジオポリティクス**について簡単に語っておきましょう。

そもそも地政学は国の地理的な条件が与える、政治的、社会的、軍事的な影響を明かす学問です。地理的条件と言ってしまうとどうしてもＧＰＳ座標上の話になりがちですが、現代のジオポリティクスは４次元的な意味合いで考える必要があります。

４次元的とは緯度・経度・高度のほかにもう一つ、時間をも考慮するということです。時間というのは去年や来年の話ではなく、今日する発言を明日するべきか、昨日するべきだったかということも含めて、という意味です。

具体的な例を言えば、ウクライナ戦争が始まった当初、日本は世界に先駆けて対ロシアの経済制裁を行うと発表しました。あの発言があのタイミングで良かったのか？　これについては地政学的にあらためて検証する必要があるのです。

まず、日本の地理的条件を考察するとロシアとは国境を接しています。さらにウクライナ戦争でロシアを支持している中国とも日本は国境を接しています。これが日本の地理的条件であり、G7国のなかでは特別な条件を持っているといっていいでしょう。同じG7国であり、島国でもあるイギリスとはまったく違います。なにしろ、イギリスはロシア、中国と国境を接してなどいないのです。

そういう特殊な状況つまり、ロシアをいたずらに刺激できない地理的条件を持つ日本であるのに、当時の岸田首相は世界で最も早く経済制裁をロシアに対して発動させてしまったのです。おかげで、ロシアからは宣戦布告とみなすと言われてしまい、輸出制限等を受けることになってしまいました。

もちろん、日本は西側諸国に属しているわけですから、ウクライナ戦争で言えば、ウクライナ側の立場です。ですから、対ロシアにおける経済制裁が悪いというつもりはまったくありません。

しかし、タイミングの問題があります。ロシア、中国と国境を接している日本の判断とすれば、経済制裁をするにしても他国の動きを見ながらじっくり方針を決める形でよかったはずです。

ところが、日本政府はそれをせず、よりによって世界に先駆けて経済制裁の名乗りをあげてしまったのです。そのため、対ロシアの経済はロシア側にイニシアチブを握られるようになってしまったのです。

これは日本政府が地政学をまったく理解していないことの一つの例であり、地政学の知識がないことが国の経済と国防を危うくするというまさに証拠なのです。

私とすれば、ジオポリティクスは細かな時間軸も考慮した4次元的な思考でも足りないと、実のところ思っています。なぜ足りないのか、そのとてもわかりやすい例があるので最後に紹介しましょう。

みなさんはWindyというお天気アプリをご存じでしょうか？　雲や台風の動きを世界地図上で投影させて視覚的に理解できる便利なアプリなのですが、この地図に問題があります。

なんと竹島と尖閣諸島を拡大すると、竹島は韓国に、尖閣諸島は中国のものとして記述されているのです。こんなものが日本のApp Storeで売られているのです。

世界の人たち、少なくともWindyを使ってる人々は、竹島は韓国で、尖閣は中国と認識することになるでしょう。

つまり、サイバー空間におけるジオポリティクスですでに日本は攻撃されているのです。ということは、現代におけるジオポリティクスはサイバーも含めた5次元まで考えないといけないのです。

地政学＝ジオポリティクスはいまとても注目されるようになってきていますが、3次元で考えるだけでなく、**時間軸を含めた4次元、サイバーを含めた5次元までを含めて包括的に理解することが必要になっている**のです。

このように、真に国に利益をもたらす的確な判断を下せる人材を養うためには、地政学教育を早い段階から実施していくことが必要なのです。

老害と権力と能力

以前、成田悠輔氏というイェール大学の若いアシスタント・プロフェッサーが「高齢者は集団自決しろ」と暴言を吐いたとして批判されていました。

私のところに取材にきた雑誌の記者たちからも「これについてどう思いますか？」という質問を受けましたが、成田氏の話をよく検証してみると何の問題もなかったのです。

どういうことか、と言うと、まず、質問を持ってきた取材者たちが成田氏の話の内容を精査していなかったのです。要は、彼の発言を中抜きして批判した記事を鵜《う》呑《の》みにして、「どう思いますか？」と聞いてきたのです。

私は成田氏が発言した堀江貴文氏のYouTubeチャンネル（ホリエモンチャンネル　https://www.youtube.com/watch?v=7vorIkYheFw）などを確認することから始めました。それでわかったのは彼が「《ご高齢でコミュニケーションがマズい人が（中略）》ものすごく偉いポジションにつき続けて、しかもなんか僕たちもそれはしょうがないことって、そういう国なんだっていうふうに認めちゃっている気がして、あきらめ始めちゃっているような気がする」「｟そういう人（ご老人）は（中略）｠1ミリも尊敬していないかのような雰囲気をみんなが醸し出すようになると、やっぱり誰しも周りに必要とされていない感をガンガン出されるとつらいもんだと思うので、少し世代交代につながるんじゃないかな」と言っているだけで、その話の流れのなかで「高齢者は集団自決しろ」と言ったのでした。能力的に劣ってしまった老人がいつまでも高い地位にいることで社会が停滞している、と主張しているだけです。

いったい、これのどこが問題でしょうか？

あのとき、問題だったのは若いアシスタント・プロフェッサーではなく、彼の発言をしっかり見ないで中抜きした記事で批判した人たち全員でしょう。

成田氏が老害について言いたくなる気持ちは私にはよくわかります。アシスタント・プロフェッサーというのは日本で言うと「助教（私の時代の国立大学では助手と呼びました）」のことです。このあいだ博士号を取ったばかりの若輩で、学者の世界では子供扱いなのです。しかし、能力的にはこれから脂が乗ってくる時期ですから、上が詰まっているフラストレーションが溜まりやすいのです。その気持ちは私もとてもよく理解できます。

しかし、それはイェールだけでなく、世界中でそうでしょう。そのフラストレーションはまさに若さゆえに感じてしまうものなのです。それで堀江氏のYouTubeチャンネルでも、若者中心にしか見ていないという安心感のなかで、脇の甘い発言をしてしまったのです。

これが街を歩いている老人のことを手当たり次第に指さして、「老害だ。自決しろ」と言っているのであれば問題ですが、彼は、もはや能力がないのに権力を持っている老人を老害と言っているだけでした。

もちろん、「高齢者は集団自決しろ」という言葉自体は問題でしょう。しかし、堀江氏のYouTubeチャンネルなどで、たまたまインパクトのある言い方をしただけであって、発言の内容に何か問題はあるでしょうか？

ただし、老害に関しては「高齢者は集団自決しろ」発言とは違った、もっと深い問題が根底に横たわっています。

それは何か？　「権力」と「能力」の話は切り分けて考えなければいけない、ということです。

「能力」の話だけでいえば、成田氏の発言は理解できます。私が三菱地所に入社したときにも同じことを感じたのです。私は新入社員研修で当時の三菱地所の社長の話を聞いて、「明日から社長ができる」と確信しました。それで希望する職種に「社長」と書いたのですが、人事からは「いま募集してません」とそっけない返事でした。人事があきれたのは当然と言えば当然かもしれません。

しかし、私には根拠がありました。バブルの時代、三菱地所は日本だけでなく、世界の土地を買っていました。私は衛星をいくつも打ち上げて、衛星軌道を買い占めてしまえばいいというアイデアを持っていたのです。一言で言えば、宇宙の地上げです。もしあの時点でそれが実現していたら、いま頃、「衛星軌道を売ってほしい」という国が三菱に殺到したことでしょう。いまのTeslaよりも巨大な企業になっていたかもしれません。

たぶん、成田氏も同じことを思っているのでしょう。「早く自分を教授に」「自分のほうが世界に貢献できる」といったことを。しかし、彼は教授にはなれません。なぜなら権力を持っていないからです。これは能力の話ではなく、権力の話なのです。

つまり、成田氏の主張は「能力のある人間に権力を渡せ」なのです。

しかし、そこにこそ大きな問題があるのです。

「能力のある人間に権力を渡せ」。たしかにその主張には一理あるでしょう。多くの人がうなずける論理です。

ところが、この主張には大きな欠点が一つあって、それはいまの社会を変えようという意思が感じられないことです。

成田氏が堀江氏のYouTubeチャンネルで、社会の矛盾である「老害」について語るのは悪いことではないでしょう。しかし、その空間は堀江氏のサポーターの集まりであり、彼らがゲストの成田氏の発言を否定することはまずない、コンフォートゾーンです。そういう安全な空間で、ああいった言葉を言うのは私からすれば愚痴にしか聞こえません。

社会一般に対するメッセージとしてなぜ、それを言わなかったのでしょうか？

反発が怖かったのかもしれませんが、そもそも権力を否定しようという発想はなかったのではないでしょうか。ですから、「老人は死ね」という論理になってしまうのです。彼があの発言で叩かれたとき、「社会を権力で動かしてはいけません」と主張すれば、もっと大きな流れになった可能性があったでしょう。私はそこが残念でならないのです。

とはいえ、私は「権力」を否定しているわけではありません。

「権力」というものは結果として発生するものなのです。

これまでの「権力」のあり方は「世襲」に代表される、連綿と続くシステムの上に成り立ってきました。

しかし、それは成田氏が指摘するように「老害」を生み出すだけです。そうではない、新しいシステムが21世紀には必要とされていて、それが「次世代のリーダー」という考え方です。この**「次世代のリーダー」は「能力」のある者がそのときの「必要性」によって選ばれる**のです。

必要性があるから能力のある者が自然に選ばれるのです。こういう世界になれば、あんな愚痴が出ることはないのです。

超高齢国家の次世代リーダーとは

私はいま日本政府のリーダーシップについて大きな疑問を持っています。みなさんもそうでしょう。この国のリーダーたちを見て疑問に思わない人がいるでしょうか？　ワクチン行政、増税、マイナンバー制度、マイナンバーカード、ＬＧＢＴ問題などといった政策のあり方、進め方にはほとんどの国民が疑問を持っていますし、再考を強く望んでいます。

ところが、当の大臣たちは「利用者の利用の仕方が悪い」「メンテナンスが悪い」「他党が悪い」などと強弁し、立ち止まって考えることをしません。国民の声に耳を傾けることをしないのです。最もひどかったのＬＧＢＴ法案を通す際でした。本書でも何度か問題提起をしたように、与党内の会合で過半数以上が賛成していないのにもかかわらず、法案を国会に提出してしまったのです。賛成多数による強行採決ですらなかったこの強引なやり方は、完全に民主主義を破壊するものでした。

彼らには日本のリーダーという自覚も自負もないのでしょうか？

現在の日本のリーダーたちには、日本を良くしていこうという意思が見えてきません。国民の声を聞こうという態度を示すことすらしないのです。

国民が彼らに感じるのは「既得権益のためにリーダーの座にしがみついている」「利権と金、煩悩を満足させることがリーダーを目指すモチベーションになっている」といったことでしょう。

残念ながらいまの日本のリーダーたちにはリーダーシップがないのです。

リーダーシップとはフォロワーをある目標に導いていく能力です。企業であれば、プロジェクトリーダーが部下たちをプロジェクトの成功に向けて導いていくことを言います。自衛隊であれば、作戦遂行に向けて上官が部下を率いていくことを言うでしょう。政治家なら、政党の幹部が決めた党利党略に従わせることを言うかもしれません。

そうしなければいけない理由は、会社法や自衛隊法、党則があるからです。つまり、すべての組織のリーダーが部下に対して権力を持てるのはルールの下における権力があるからなのです。なんらかの法律や拘束があるから権力が発生する。ということは、組織があるから権力が生まれるということになります。

ですから、老人が権力を持っているのは、単に老人がなんらかの組織の上にいるからであり、組織と権力がワンセットであるという20世紀までのシステムが維持されているためです。

この最もわかりやすい形が世襲です。歌舞伎などの伝統文化の世界はまさにそうで、何百年と受け継がれてきた権力構造を維持することで「権威」が生まれています。生花の世界も茶道も構造は同じです。

政治家も地盤、看板、カバンという親から受け継いできた組織的権威があるから当選するわけで、そういうものを持たない人々が選挙で勝つにはむずかしいものがあります。日本におけるリーダーとは、縦社会の構造的に発生する権力を握った者がリーダーになる、というもので、単なる権力者間の椅子取り合戦なのです。

そんな椅子取り合戦で頂点を極めた者がリーダーであるなら、リーダーが下の者に対して気を遣う必要などないでしょう。日本におけるリーダーとは権力者と同義なのです。

これがわかると日本のリーダーたちが他人の言葉に耳を貸さない理由もわかるでしょう。リーダーはリーダーシップをもってフォロワーをゴールに導く人ですが、権力者は単に権力を握った人です。その時点ですでにゴールを達成しており、あとは権力の座をいかに維持するか、居心地良くするかしか考えません。欲望の限りを尽くし、煩悩の命じるままに生きるのも当たり前なのです。そういう構造だからです。

ということは、いまの日本のリーダーは単なる権力者であり、リーダーシップを持った本物のリーダーはいないということになります。

私たちの本当の敵は現在の権力の座に座るトップではありません。倒すべき直近の相手ではありますが、本質的な敵は権力構造であり、煩悩を刺激し続けるシステムにあるのです。権力を基盤としたシステムこそが私たちが倒すべきものなのです。

問題はそれができるのか？　権力システムを倒すことが可能か？　という部分です。

もちろん、それは可能です。それは私が提唱する次世代のリーダーシップです。

次世代のリーダーシップとは権力に寄らないリーダーを生み出すものです。法的な裏付けや、歴史的な構造に支えられた権力を否定するものです。

これは「必要性に応じて生まれるリーダーシップ」です。権力ではなく、必要性の発生とともに生まれるリーダーシップですから、そこに必要性さえあれば誰がリーダーになってもいいのです。

わかりやすい例を挙げましょう。

かつて日本で電子メールが始まったとき、「メールで連絡するなど失礼だ」と言われました。ところが、数年経って電子メールが普及すると、「失礼だ」と言っていた幹部社員たちにもメールを使う必要が生じて、若い新入社員にメールのやり方を聞きに行くことになったのです。その際、相手が上司であっても新入社員のほうが知識を持っているのですから、上下の立場は逆転します。新入社員が「こちらはこうやってください」と指示し、社長が「そうか、わかった」と聞く立場に必然的になります。必要性に応じて生まれるリーダーシップとはこういうことです。

自分に必要性があれば自然にリーダーシップが発生するということです。また、そのリーダーシップはリアルタイムで発生し、消滅します。要は社長がメールのやり方を覚えれば、元の関係に戻るということです。

次世代のリーダーとは必要性が生じたときに、自然と決まる人間のことを言います。ですからリーダーシップを持っている人は、不特定多数に対して双方向で、必ずリーダーとして選ばれるという素養のある人のことになります。

権力がほしいというリーダーはもう不必要な時代なのです。**権力を欲する人間はもう必要ありません**。それは古いし、間違っているということです。私たちを幸せにしてくれるリーダーは、私たちが心からついて行きたいと思える人たちです。

図表8　次世代リーダーの概要

次世代リーダーとは?

●アプリオリ（本来備わっている）の権力を前提とせずダイナミックに生み出される。

次世代リーダーの特徴

●アプリオリ権力は尊重するが、アプリオリ権力に盲従しない。
＊既存権力と喧嘩しない。

●ゴール達成のミッションを創造し、認知空間に地図を描きみんなに共有する。
＊ゴール設定の能力が必須
＊日々変化する社会のより多くの人に利益のあるゴールを次々発見

次世代リーダーの条件

●圧倒的な利他性・徹底的な自己犠牲・揺るぎない責任感

●自己を更新し続け、高い抽象度で現状の外を誰よりも見ることができる。

次世代リーダーの養成法

●すべてのメンバーがいつでもリーダーに代われるメンバー育成を徹底。
（すべてのメンバーが自分以外のために生き、動ける組織をつくる）

●次世代リーダーは、自分の集団の利益を考えるときも、圧倒的な利他性を持って考える＝コーチングの素養は必須

たとえば、全員が自分の利益のために生きる世界と、自分以外の99人のことを考える世界だと後者のほうがいいに決まっている。後者の世界を創造できるのが次世代リーダーにふさわしい。

権力に寄らないリーダーシップを養え

前項で権力に寄らないリーダーシップを生み出すという話をしました。もちろん、それは可能なのですが、一筋縄ではいかないことも多々あるでしょう。

なぜなら、権力に寄らないリーダーシップとは既存の力に頼らないことを意味するからです。

たとえば、「これから素晴らしい事業をやります」と言っても、その資金を証券会社を利用して第三者割当で増資するというのは、あらゆる有価証券に係わる法やルール、証券業界システムなどの権力に寄ることになるでしょう。素晴らしい事業をお金なしでやりますというのも相当無理があるのです。

現実の話として人を集めて組織を動かすということは必ずどこかで権力の縛りが入ってきます。そのときに「権力に縛られない行動をどう取るのか？」が重要になってくるのです。

といっても、これは心構えの話ではありません。実際の行動として、がんじがらめのなかでどう行動するかなのです。今後日本を生まれ変わらせるために必要な要諦の一つです。

そのための要諦をいくつか紹介しましょう。

まずは自分自身が「権力には縛られない」という人格を持つことです。これはいま言った「心構えの話ではない」に通じるもので決意として縛られないと誓うことを言います。誓いを立てたら、それを行動に移すために権力構造を徹底的に分析し理解します。分析・理解することによってはじめて縛られない行動を取ることが可能になります。

ここで一つ、私がやった事例を挙げましょう。政治の世界でインターネット戦略がまだよく整っていないときの選挙の話です。ルールを作る側もインターネットがどういうものか、よく理解していませんから、ルールもざっくりしたものだったのです。「公示期間の前の日まではYouTubeの更新はＯＫ。公示期間に入ったら更新はできないが、アップしたものを削除する必要はない」などといったものでした。つまり、公示期間前の選挙運動をインターネット上では許可していたのです。ですから、私はインターネットを使って応援している候補を公示前からサポートすることができたのです。

要はルールを熟知してルールを利用するという作業です。このやり方は正攻法ではない、と思われる人も多いでしょう。権力と真っ向勝負をしたいと考える人もいるでしょう。

しかし、このやり方も権力に縛られない、とても効果的な方法なのです。

もう一つ例を挙げましょう。

いままでは東証でも認められている下方修正条項付きの転換社債を日本で初めてやったのは私です。ニューヨークのプライベートエクイティファンドと組んで、海外のオフショア市場で日本の中小企業の転換社債を引き受けたのです。

ところが東証はこれに異議を唱えたのです。当然のことですが、日本の有価証券取引法上で違反ではありません。日本の企業が海外で発行する債権は日本のルールが適用されません。買い手も外国人ですから何の問題もないのです。しかし、東証は怒りました。それは自分たちの利益を侵害するというのが本音だったのです。

私はそれでもやりました。なぜなら、私には根拠があったからです。

日本では上場企業が社債を出すには、当時最低でも３ヵ月、普通は半年かかりました。これは、慎重というよりも硬直していると言っていいほど当時のニーズに合致していなかったのです。

いまでもそうですが、日本の企業のほとんどは中小企業です。彼らは資金がほしいときにはすぐにほしいのです。半年など論外で来月、ヘタしたら来週ほしいのです。５億、10億円の資金があれば生き返る２部上場優良企業は多かったのです。

私は彼らを救うために、日本で最初に海外のオフショア市場で下方修正条項付きの転換社債を引き受けたのです。そうすれば、３日後には資金の振り込みができたのです。これで生き返った中小企業がどれだけあったか。私のやっていることのほうが明らかに正しかったのです、日本の金融市場の世界よりも。

私には日本の産業構造を高度化するというゴールがありました。そういった確信があったからこそ、既存の権力と戦うことができたのです。これがまさに権力に寄らないリーダーシップの前提となります。

別の言葉で言えば、**権力に縛られない行動を取ることが、次世代のリーダーとなるための突破口になる**のです。

既得権益をはじめとする権力にがんじがらめになった日本を大きく変えるためには、こうした考え方はもちろん、私が長年提唱してきた、抽象度の高いゴールをいかに設定するかが大切です。同時にリーダーを支える周囲の人たちも、新しいリーダーシップの構造を理解することで、硬直した日本社会を一変させることができるのです。

第6章

幸せに、希望を持って生きていく

――経済・税金・社会保障のレシピ

経済の本質は本当の富、本当のWealth

経済の話をする前に「幸せ」の話をしておきましょう。

日本人が考える幸せには「お金持ちである」ということが必ず入ると思います。日本人だけではないですね。いまはどこの国の人間にとっても「お金持ち」という概念こそが幸せの定義と言ってもさしつかえないでしょう。


わかりやすい例を出せば、田舎に自宅と１００坪の農地を持っている人と、預金残高が10億円ある人を比べたら、ほぼ全員が10億円の預金残高がある人を幸せな人と言うでしょう。要は、預金残高の額がそのまま幸せの度合いと正比例すると考えるのです。

しかし、本当にそうでしょうか？　もしかしたら明日、国がなくなってしまうかもしれない可能性だってあるんですよ。明日、いきなり預金封鎖されるかもしれません。そうなった瞬間、預金残高の10億円はただの数字の羅列です。

「いやいや、違うだろう。10億円あれば、田舎の土地と家は簡単に買えるのだから10億円持っているほうが幸せさ」

　たぶん、こう反論する人は多いでしょう。

　もちろん、それはその通りです。しかし、それは「買えば」の話です。田舎の土地と自宅を買っていれば、ただの数字の羅列とは言いません。現物としての土地と家を持っているのですから。

　私が比較しているのは預金残高と、実際の土地家屋です。

　そして、多くの人は預金残高を取るのです。「預金残高がたっぷりあれば、〝あとで〟いくらでも土地を買えるでしょ?」と判断するのです。

　しかし、その〝あとで〟はいつですか?　少なくともいま手元にはありませんよね?　手元にないのに「あとでいくらでも買える」と思い込んでいるのです。手元にないのに「ある」と思い込んでいる。それってバーチャルです。

　私には、メタバースが、ザッカーバーグ氏が目論んでいたほどに流行らなかった理由がよくわかります。すでに現世がメタバースだからです。

　世界中のほとんどの人が数字の羅列を見ては一喜一憂しています。

　ビットコインブームと同じです。ウォレット上で1億になった、2億になったと喜んでいますが、本当にそれが現金になるかどうかはわかりません。現金になったからと言って、さきほど言ったようにいつ国がなくなるか、預金封鎖されるかわからないのです。

「そんな大げさな」「極端な話をされても……」と思うかもしれませんが、台湾有事が起きたら日本円はすぐに暴落しますよ。銀行をハッキングされたらどうしますか？　２０２４年には円の新札発行により、預金が封鎖される可能性だってあるんですよ。

いつからか、世界中の人々はバーチャルな価値こそ、最高のものだと思い込んで生きるようになってしまっているのです。

古来、幸せの定義の一つとしてあったのが「富」を持っている人でした。英語で言うならば「Wealth」です。「富」や「Wealth」は決して、お金をたくさん持っていることを言うのではありません。自分の家と土地を持っている人のこと、その土地からは作物が、土を掘れば井戸水が、あるいは金や石油が出れば、さらに富はふくらむでしょう。富というのはこういうことを言うのです。

富は物理空間の話なのです。

しかし、現代の人々は、銀行残高さえ増えればよしとします。田舎の１００坪の土地よりも銀行残高1億円、10億円を幸せと考えます。

そう考える人が多いから、平気で自国の土地を他国の人間に売ってしまうのです。自国の企業が外資の所有物になってもなんとも思わないのです。

なぜなら、見かけ上の生活は変わらないからです。変わらないどころか、お金が増えるのですから、「幸せ倍増！」とすら思っているでしょう。自国の水の権利を売っても銀行残高が増えるので「幸せ倍増！」なのです。

なぜ、いまの日本が本当の意味で貧しい国になりつつあるのか？

それは、**「富」や「Wealth」の意味を知らない政治家や官僚、財界人、経済人が日本のトップに立っている**からです。

バーチャルな資産である「銀行残高」をたっぷりもらってホクホクしている日本のトップたち。しかし、本当の意味での「富」を理解している外国勢は、日本の土地や水を買い占めています。

これから数十年後、私たちや私たちの子孫は、外国人たちに金を払って自国の土地に住み、自国の水を買わなければいけなくなるでしょう。

これが幸せですか？

私たちは一刻も早く、本当の「富」に目覚めなければいけません。

お金というバーチャルな価値の正体を知るべきです。

富は物理空間にしかありません。

そんなことは当たり前でしょう。そんな当たり前のことすら、わからなくなっているほど、私たちは情報空間の価値＝預金残高に惑わされているのです。

本当の富を理解している人は物理空間を絶対に否定しません。ということは自分の国の土地を外国人に取られたら怒るということです。自分の国のたとえ法人といえども、それは物理的な土地や建物を支配されることになるのですから、日本の法人をウォールストリートに取られたら怒るということです。

私たちは、お金＝銀行残高とはどういうものかをもっとよく知らなければいけません。ただの数字だということを理解しなければいけません。

そして、本当の富、Wealth が何かを見極めなければいけません。

経済の話はこれを理解したあとです。

経済とは本当の富、本当の Wealth を求めるものだからです。

日本のためには、このことを理解しましょう。

日本経済の最適解

経済がバーチャル化しているなかで、**幸せは虚経済にあって実体経済には存在しなくなり始めています**。

「経済のバーチャル化？　なんですか、それ？」と思いますよね。

一言で言えば、「新しい価値が生まれなくなり始めている」ということです。ChatGPTを見てください。多くの人にとって、あれはまったく新しいテクノロジーが誕生したと感じることでしょう。

しかし、１９８０年代からアメリカのＩＴ最前線で研究者をやっている人間からすれば、テクノロジーそのものは80年代のものを使っているだけです。変わったのはコンピュータの性能です。ＣＰＵの処理速度が私たちの頃の、10億倍に上がっているから、10層のニューラルネットワークでも収束するのです。80年代はわずか3層のネットワークを処理するだけで何日もかかっていました。

演算処理のスピードが上がったことはたしかに素晴らしい進歩です。しかし、新しいものを生み出したかというと、それは違うでしょう。バージョンアップというほうが正しいはずです。iPhone3Gが、iPhone15になったようなものでしょう。

電気自動車にしてもそうです。ガソリン自動車が進化したわけではありません。飽和し始めていた自動車の需要を新しく生み出すために、ガソリン自動車で走ることを禁止しようとしているのです。画期的な乗り物が発明されたわけではなく、ガソリン車に乗ることを、つくることを禁止したのです。要はルールを変えることで自動車の需要を再生産しただけです。

ルールはもちろん、情報空間のものです。それを変えることで需要を生み出すというのは単なる情報操作であり、誤解を恐れずに言えばインチキと言ってもさしつかえないでしょう。もしも、インチキが不適当であるならば、買い替え需要ばかりで経済を動かしているのがバーチャル化した社会なのです。

「いままでみなさんは赤い服を好んで着ていましたね。しかし、赤い服は環境に悪いことがわかったので今日から禁止です。代わりに環境に優しい緑の服を着てください」と言って緑の服を売り出すのと基本は変わりません。

もちろん、緑の服が素晴らしいテクノロジーによって生み出されたのであれば問題ないでしょう。しかし、テクノロジーはまったく一緒で染料を変えただけなのです。ルールとイメージを変えただけで新製品が誕生してしまっている。冷静に考えれば、とても異常な世界なのです。

ところが、これが現在の経済活動なのです。実体経済はすでに消え、虚経済しかなくなってしまっているというのはこういうことです。

虚経済の世界では仕掛けている側が圧倒的に有利です。都合が悪くなればいかようにもルールを変えればいいわけですから。オリンピックで西洋人以外が常勝するようになるとルールを変えてくるオリンピック委員会のようなものです。そんな世界で私たちは幸せになることができるでしょうか？

かなりむずかしいと言わざるをえないはずですが、なぜか、現代に生きる私たちはこれが幸せだと思い込んでいます。

実際、多くの人がガソリン車を売って電気自動車を買っています。環境に優しい最新の車を手に入れたと思って嬉々としているのです。

しかし、電気自動車に使われているリチウムイオン電池はいまだ不安定な素材です。突然発火する可能性も少なくありません。洪水などで水に浸かってしまうと爆発することだってあります。さらに寒冷地では充電が急速に減ってしまうこともあり、雪の降る夜に高速道路で立ち往生したら凍死するかもしれません。

物理空間の物としてはまだまだガソリン車のほうが優秀なのです。なのに、現代人はガソリン車を売って、追加のお金まで払って電気自動車を購入しています。良い買物をしたと喜んでいます。

これが現実です。

こうやっていま人々はほしいものを選択し、購入しているのです。しかし、それは情報操作によって大切なもの、捨ててはいけないものを手放し、以前持っていたものよりも劣化したものを大金を出して買っている可能性が十分にあるのです。

おかしな話です。しかし、これが紛れもない現代の経済活動であり、虚経済に実体経済が駆逐されてしまったという理由です。

もう一度、自分が持っているものをよく見てください。どこに住んで、誰と暮らしているのかをよく観察してみてください。

そうすれば、大切なもの、捨ててはいけないものがわかるはずです。買い替え需要ばかり喚起してくる彼らのやり方など無視し、本当に必要なもの、新たな価値を生み出せるものをつくり、それを売るのです。

新たな価値を生み出すものをつくるのはそれほどむずかしくはありません。

それは他人に幸せを供給できるものです。自らの幸せばかりを追っているバーチャル化した人々が決してつくらないものです。これこそが実体経済であり、本物の需要です。

もともと経済という言葉は「経《けい》世《せい》済《さい》民《みん》」からきていたはずです。その原点に立ち返れば、何をつくればいいかが必ず見えてくるでしょう。

大切なものは手放さない。新たな価値を持つものを生み出す。

これが新しい日本がなすべきことなのです。

多税せよ！　ズルが得しない日本のつくり方

国家として読者のみなさんがなってほしくない国というのは、どういう国ですか？

私が思うのはウソつきが得する国です。悪いことをする人が得する国で、わかりやすい表現で言えば、「ズルが得する国」に日本はなってほしくないです。

しかし、日本のお金持ちを見ていると、だいたい悪いことをしています。もちろん、正当にお金持ちになった人も数多くいますが、悪いことをしている人も多い。その悪いことの代表が脱税でしょう。

ただし、国税庁が言う脱税と、私が言う脱税は意味合いが違います。

国税庁が言う脱税は、立件可能な明らかに犯罪性のあるものです。私が言っているのは節税も脱税だということです。

いま「節税もですか!?」と思った人は少なくないでしょう。

そうです、節税だって本来払うべき税金をごまかしているのですから脱税です。

税金は堂々と全額払うべきなのです。私はずっとそうしています。ただし、その裏返しとして政府の税金の使い方が悪ければ、自分のほうが上手に使うことができるのであれば、逆に納税を拒む権利もあってしかるべきでしょう。

何度も言いますが、私は現在でも脱税はおろか、節税もしていません。全額払っていますが、その使い方、使い道には甚だしく疑問を持っています。

そもそも私たちの納税の根拠は、個人で公共支出をしようとしてもできないことです。行政サービスさえ個人ではできません。

それを肩代わりしてもらうために、私たちは国に権利を信託したのです。3章でも触れたトマス・ホッブズの『社会契約説』を読んでもらえばわかる通り、自然権の行使の一部を国に信託しました。

ただし、信託したのは「権利」ではありません。「権利の行使」のみを政府に信託しただけです。政府はこの部分を故意なのか、認識不足なのかわかりませんが、権力そのものを信託されたかのような解釈をしています。それがたとえば自民党案の新憲法です。国が権力を持っていて、それを国民に与えているかのような書き方をしています。私が自民党案の新憲法に反対する理由はさまざまありますが、この権利の信託の曲解も大きいのです。

ともかく、権力は永遠に国民のものです。信託しているのは行使のみです。

そして、その行使の一つが徴税権です。国民が個人個人で、有効な税金の使い道を考えたり、誰を公務員として雇うかなどはやはり決めることはできません。ですから、個人に代わって国に税の使い道を、集金も含めて肩代わりしてもらっているのが徴税権なのです。

もしも、国が信用できないとなれば、「徴税権の信託はやめました」と言えばいいのです。ただし、「やめました」と言うからには、自分が国税庁よりも正しく、有効に自分の所得を国のために使えることが大前提となります。

それができるのであれば、税金を払う必要はないはずで、一つの例が国公立大学に対する寄付でしょう。

国公立の大学に寄付をした場合、その一定額分の税金は控除されます。公益社団法人に対する寄付も同様で、やはり、寄付した額は一定額、税金の控除対象になります。ということは、国に税金を納めるよりも公益社団法人や国公立の大学などに納めたほうが社会の役に立つとその人が判断し、国もそれを認めたということになります。だから税金が控除されているのです。これって、さきほど言った大前提＝「自分のほうが上手に税金を使えるならば」を国が認めたということになりませんか？

逆に、制度の抜け穴を利用して、納税額を減らすことは「ズルが得する」ことになるのです。

実はこれをやっているのが世界のお金持ちたちです。Facebookの創業者のマーク・ザッカーバーグは自分の資産の99％を慈善団体に寄付していますが、あれは財団法人ですから、すべて節税です。一度、自分の資産を財団に入れてしまえば、あとは財団の代表を変えていくだけで、完全に私物化できるのです。

アメリカはすでにこういう「ズルが得する社会」になっています。

たとえば、アメリカにはクリスチャン・マフィアというものがあります。これは、キリスト教新設プロテスタントの慈善団体で、アメリカではキリスト教の活動はほぼ間違いなく公益法人化されます。ですから、アメリカでお金持ちになるとキリスト教の慈善団体をつくって、自分がそこの理事になり、自分の資産を慈善団体に寄付します。すると、寄付金は全額、税を免除されますから慈善団体の理事、つまり、お金持ち本人は一円も税金を払わずにぜいたくができるのです。

アメリカでプライベートジェットに乗っている人の多くはそうやって節税してきているのです。

しかし、あなたは日本をそんな国にしたいですか？　ずるがしこい人間が得をする国にしたいですか？

税金は決められた通りに払うのが当たり前です。それは国民すべてが税金の使い道、使い方を理解しているからこそ、可能になります。納めるほうも使うほうも、国民のためであることを理解できれば、決して実現はむずかしくありません。

そして、そういう世界がおとずれたとき、政府は増税に血眼になどなりません。そうなる前に、国民のほうから、税を多く払おうかという提案があるはずです。

税を本当に理解すれば、そうなるのが普通の感覚でしょう。そうならないのは、お金持ちたちの心のどこかに、ズルをして儲けよう、自分だけが得すればいいやと思っているからです。

もう21世紀なのですよ。いつまでお金に拘泥《こうでい》するのですか？　子供じみた、未熟で野蛮な心を持っているのですか？

「今年度はこういうことを国にはやってほしいから税金を上乗せして払っておいたよ」

という**多税する感覚、国民の多くがこういう感覚を持てるようにするのが新しい日本であり、日本人の姿ではないか**と思います。

理想主義が過ぎますか？　そうかもしれませんね。

しかし、理想がなくて、何が新しい日本ですか？

私は素晴らしい日本国が見てみたいのです。

ベーシックインカムは実現できる

ベーシックインカムとは、政府が国民に対して毎月一律、同額のお金を個人に与える給付金のことです。

生活保護などの社会保障と違うのは収入があろうがなかろうが、高額所得者だろうが低額所得者だろうがまったく関係なく、誰もがもらえる点です。また、ぜいたく品は買ってはいけませんなどといった使い道に関する制限もありません。文字通り、毎月決まったお金が基礎的収入として国から支払われるというものになります。

日本国民のみならず、すべての国の人々が実現してほしいと心密かに思っている制度ですが、国家レベルで実現させている国はいまのところ一つもありません。

なぜ、実現しないのか、というと、どの国の政府も「財源がない」という一言で却下しているためです。

しかし、それは本当でしょうか？

たとえば、これまで日本で出されたベーシックインカム案の財源部分を見てみましょう。

２０１７年、希望の党は月額５万円のベーシックインカム案を国会に提出していますが、その財源は医療費を除く社会保障費をあてるというものでした。

月額５万円（年間60万円）を１億２０００万人に給付するということは年間72兆円の財源が必要になります。それを、医療費を除く社会保障費から出すということは、国民健康保険、厚生年金保険の掛け金をすべて吐き出すことになり、それまで何十年も掛け金を払ってきた人は大損することになってしまいます。これでは賛成する人も少ないでしょう。

２０２０年には竹中平蔵氏が月額７万円のベーシックインカムを提案して話題になりました。財源はマイナンバーとの紐付けを条件に年金と生活保護を廃止するというものです。当然これは大きな批判を浴びました。なぜなら、生活保護をなくし、年金を勝手に財源にしてしまっているからです。しかも、その裏ではマイナンバー制度を推進しようという企みが透けて見えており、ベーシックインカムで国民のＱＯＬ（生活の質）を上げようという意志がほとんど感じられないのです。

そもそも現在、ＧＰＩＦ（年金積立金管理運用独立行政法人）で運用している総資金は２０２２年3月末現在で１９６兆５９２６億円です。月額７万円（年間84万円）を全国民に配るとすると年間１００兆円が必要になりますから、竹中案では2年ほどで運用資金を食いつぶすことになってしまいます。仮に運用益が10％出ていたとしても追いつく金額ではありません。さらに掛け金を払った人に対して国は背任行為をすることになってしまいます。

日本の社会保障制度は、国民皆保険と年金の掛け金が源泉になっています。ですから、これを使ってベーシックインカムを行うとすれば、どうしても国民をあざむくことになってしまうのです。これでは国民の合意が得られるわけがありません。

ベーシックインカムの財源は社会保障制度を食いつぶすようなものであってはいけません。それは国民の誠意と信頼を裏切るだけでなく、老後のために積み立てていた資金を盗むことにつながってしまうからです。

そうではなく、日本にはもっと良い財源があるのです。国民の懐が誰一人痛むこともなく、毎月一律10万円（年間１２０万円）なら年間１４４兆円を全国民に給付できる財源が、です。

１４４兆円の財源は現在、日銀がやっているＱＥ（量的緩和）資金供給の年額１２０兆～１５０兆円を全額ベーシックインカムにまわせばいいだけです。具体的にはデジタル円の毎月12兆円の発行です。

つまり、財源は最初から「ある」ということです。

ただ、みなさんの疑問は「じゃあ、日銀の量的緩和策はしなくていいのか？」というものでしょう。

まったく問題はありません。

そもそも量的緩和の目的は、市中に資金を流すことによって経済を活性化させることにあります。そのために、日銀は円を刷り、その円で市中銀行が保有している国債を買い上げているわけです。日銀が市中銀行から国債を買い上げれば、市中銀行は手持ちの現金が増えますから、それだけ人々に多くの融資ができるでしょう。

また、一般の人々は銀行の貸し渋りで困っているわけで、融資のハードルが下がれば、先を争って借りにくるはずです。そうやって一般の人々の手元に現金が行き渡れば、再投資に回すだけでなく、消費も増えますから、必然的に日本の経済は活況を取り戻すでしょう、というとても簡単な理屈なのです。

ところが、日銀がいまやっているのは長期国債の買い入れと同時にＥＴＦ（上場投資信託）買いです。市中銀行も日銀を見習って融資をせずに投資ばかりをしていますから、一般の人々に資金が回っていかないのです。それどころか、量的緩和によって増えた円は結局外資系ファンドの手に渡り、安くなっている日本の優良企業の株を買いあさられる結果になっています。簡単に言えば、日銀が刷った円がハゲタカファンドの手に渡り、日本が安値で買い叩かれているのです。

そんなことならば、「ベーシックインカムの財源にすればいいのではないですか？」というのが私の提案なのです。

しかも、デジタル円化して国民一人ひとりのスマホなどの電子端末（ウォレット）に直接振り込む形を取れば、これは国民に対する日銀の直接の買いオペ（債権や手形を中央銀行が市場で買い取ること）になります。要は市中銀行を通さずに日銀が直接、返済義務のない融資をしてくれていることになるわけです。量的緩和の本来の目的である「市中に資金を流す」を達成することにもなるのです。

はっきり言って、一石二鳥どころか三鳥、四鳥もある最高の施策と言っていいものでしょう。

ただし、なかなか実現しないのは反対勢力があまりにも大きいからです。いまの説明でもわかるように、外資系ファンドと市中銀行を敵に回す可能性は十分にあります。彼らのバックであるウォールストリート、そしてＷＥＦほかの勢力も動くでしょう。ですから、私がごく当たり前のことを言ってもなかなか受け入れられないのです。

彼らは儲からない政策は優先しません。**最近の日本政府の福祉や教育、社会保障への軽視**を見れば、それは見えてきませんか。

しかし、戦い方はあります。それは私たち一人ひとりがベーシックインカムとは何か、量的緩和とは何か、ＥＴＦとは何かといったことをしっかり理解することです。「なんかよくわからないや」と思ってしまっているから、そう思い込まされているから、良策がなかなか実現しないのです。

彼らはわざとわかりにくく説明しています。それにだまされないよう、しっかり理解し、良策を実現させていきましょう。

私たちが理解するだけで目の前の世界は変わるのです。

第7章

最先端の戦争を知る、議論する、変える

戦争の最先端、認知戦を理解せよ

たぶん、多くの人がここ数年で「**認知戦**」という言葉を耳にする機会が増えていることでしょう。「認知戦」は「認知領域戦」とも言います。

これからの日本を考えるうえで認知戦についての知識はとても重要です。

しかし、その本当の意味を理解している人はまだまだ少ないようです。たいていの人は「認知戦」と「情報戦」をごちゃまぜにとらえています。

その理由の第一は「認知戦」という言葉がつい最近できたものだからです。

そもそも「認知戦」は英語のCognitive《コグニティブ》 Warfare《ワーフェア》を訳したもので、アメリカでは数年ほど前から「サイバー・ワーフェア（サイバー戦）の次にくるであろう戦いがコグニティブワーフェアだろう」と認識されていました。

そして、軍事応用研究の米国での先端研究機関のジョージメイソン大学Ｃ４Ｉサイバー研究所に、私が研究教授として呼ばれました。もちろん、現在でも米軍のトップたちにとっては「コグニティブワーフェア」と言えば私でしょう。

実のところ、英語の「コグニティブワーフェア」はアメリカでの私の造語なのです。これを日本語に訳したのも私であり、「認知戦」も当然、私のつくった言葉になります。それがいま日本の防衛関係の公式文書にまで載るようになってきたのは、アメリカ同様、認知戦の重要性に日本も気づいてきたということです。

では、なぜ、「サイバー戦」の次に「認知戦」がくると予測したのでしょうか？

それは、サイバー戦が政府や大企業、病院や発電所などを標的に、サイバー攻撃を仕掛けていたからです。

これまでの戦争あるいは情報戦と呼ばれるものは軍対軍の戦いでした。軍服を着た軍人同士が戦っていたのです。情報戦で言えば、敵の機密情報を盗み出す、あるいは誤情報を敵につかませることで自国の作戦を有利に進めることをやっていました。

つまり、あくまで相手は正規軍であったり、諜報員であったのです。

ところが、サイバー戦になると事情が変わってきます。政府関係、軍事施設だけでなく、大企業、病院、銀行、発電所など民間企業や民間施設、インフラを狙ってきたのです。標的がシビリアン（文民）にまで広がってしまったのです。

それ以前は軍人同士、諜報員同士の戦いでした。いわば、訓練を受けた戦いのプロたちがしのぎを削っている世界でした。

しかし、サイバー戦が始まった瞬間、標的は民間人になってしまったのです。サイバー戦以前と以後は大きくここが違うのです。


では、認知戦とサイバー戦は何が違うのでしょうか？

サイバー戦はハッカーたちによるサイバー攻撃です。代表的なのがアメリカのＮＳＡ（国家安全保障局）とイスラエル諜報特務庁（モサド）が共同開発したといわれるマルウェア「スタックスネット」でしょう。イランの核施設に侵入したスタックスネットはウラン濃縮用の遠心分離機を破壊しています。恐ろしいのはやる気になれば、原子炉を暴走させることもできたのです。

これ以後、各国によるサイバー戦が激しくなり、ヨーロッパやアメリカ、ロシアや中国などがサイバー攻撃を仕掛けたり、受けたりということが増えていきます。日本も、官公庁やホンダ、トヨタなどの大手企業や銀行がサイバー攻撃を受けて操業がストップしたり、送金ができなくなるなどの被害が出ています。

このようにサイバー攻撃は軍事施設以上に民間施設が狙われるのです。

ところが、認知戦はそういったものとは大きく違います。認知戦は文字通り、人間の認知を狙います。要は、人々の考え方や思考の傾向です。

不特定多数の人々の考え方や思考の傾向を、認知戦を仕掛ける側に有利になるように働きかけるものなのです。

サイバー攻撃は民間施設を狙いますが、認知戦は民間人の考え方、思考の傾向を標的とするのです。

わかりやすい例を挙げると、mRNAワクチンの危険性に関する情報操作でしょう。mRNAワクチンというのは不安定で問題の多いワクチンだとずっと言われてきたもので、新型コロナウイルスのワクチンとして出てくるまではほぼ実用化されていませんでした。実際、その危険性についてはmRNAワクチンを最初につくったとされるロバート・ウォレス・マローン博士も指摘しています。

しかし、当時も、いまも多くの日本人はmRNAワクチンが安全だと思っています。どうしてかと言えば、「mRNAワクチンは安心です。新型コロナワクチンを積極的に打ちましょう」というキャンペーンを日本政府が大々的に繰り広げたからです。いまでも多くの人が覚えているでしょう。当時のワクチン担当の大臣が「一度打てば1年間有効です」などと発言してワクチンを打つように勧めました。ちなみに、２０２３年現在、担当だったあの大臣は「私はただのワクチンの運び屋」と言っていますから、自身の行為のショックのためか一時的な記憶喪失になってしまっているようです。

mRNAワクチンに関する認知戦はWikipediaを見てもわかります。さきほど紹介したように、このワクチンを最初につくったのは諸説ありますが、その一人はマローン博士なのです。しかし、Wikipediaを見るとビオンテックのカタリン・カリコ氏が最初にmRNAをつくったという話になっています（カリコ氏は同じく技術をファイザーとモデルナにライセンスしたドリュー・ワイスマン氏と２０２３年ノーベル生理学・医学賞を受賞しました）。しかも、「ロバート・マローン博士はCOVID-19ワクチンの有効性と安全性に関する誤情報を拡散しており、批判を浴びている」と、完全に悪者にされているのです。

私も新型コロナウイルスのmRNAワクチンの危険性について、かなり初期の段階から警告を発していました。レギュラー番組を持っていたＭＸテレビで作用機序を解説しながら、スパイクタンパクが体に残って免疫寛容により自身の免疫システムが生体攻撃してしまう可能性があると指摘しました。

ところが、反対派は「苫米地は素人だ」「医者じゃない」などと言って攻撃を開始しました。私から言わせてもらえば、mRNAワクチンというのは、全部コンピュータ上でシミュレーションしてつくっています。これはドライラボと言います。このサイバーセキュリティはずっと研究してきました。つまり、私の専門分野の近接領域なのです。

彼らの言う「安全」というのは「設計上の安全」を言っていただけなのです。

しかし、ソフトウェアは必ずバグが出ます。ソフトが完璧だったとしてもコンパイラーのバグがあるかもしれないですし、ＯＳのバグがあるかもしれないのです。仮にそれが完璧だったとしてもハッキングの危険性は常にあります。途中のデータを書き換えられたらアウトでしょう。しかし、そういう危険性はいっさい考慮されないで「安全」と言っているので、私は「このワクチンは危険だ」と主張したのです。

まともな医師だったり、普通の分子生物学者であれば、ある程度の情報を見れば危険だと判断できたはずです。

ところが、私に対する批判は増える一方で、ＭＸテレビの私の解説をYouTubeで流した動画は一ヵ月で１００万回再生したところでバンされてしまう、という妨害を受け続けたのです。

マローン博士のWikipediaを改ざんしたのと同じ勢力がmRNAに関する正しい情報

を消していったのです。

また、カリコ氏とワイスマン氏がノーベル賞を受賞したときに、関係者が「これで世界のワクチン接種がさらに進む」と言いました。ノーベル賞さえ認知戦の道具となりました。

これが認知戦なのです。

一つの傾向を持った情報だけしか一般の人々には伝わらない。

誤った情報あるいはバイアスがかかった情報だけしか公開されていかない。

テレビや新聞、ＳＮＳなど人々の目に触れやすい情報源から流れてくるのは、「これが正しいのですよ」というものしかないのです。「反対意見だってあるはずだ」と積極的に探さなければ、そういった情報に触れることはできず、触れたとしても「陰謀論」というレッテルを貼られて信頼性を著しく損なわれてしまうのです。

そうなったら人々の意見はどうなるでしょうか？　mRNAワクチンを打つのは当たり前となるでしょう。政府が複数回の接種を奨励すれば、何度も打つことになります。事実、日本人は世界で異常とも言える複数回接種を行っています。

それは正しかったのでしょうか？

最近、政府が新型コロナワクチンつまりmRNAを製薬会社から８億８２００万回分も購入していたことが発覚しました。私がX（Twitter）でツイートしたところ、拡散していったようですが、政府は最初から国民に複数回、単純計算で８回、打つことを念頭に入れていたのです。それがあるから「複数回打ちましょう」と喧伝《けんでん》していたのでしょう。

これが認知戦なのです。ある目的を持って恣意的な情報を流し続け、それに反する情報が出たら削除の圧力をかけたり、陰謀論のレッテルを貼って消していき、人々の認知（考え方や思想の傾向）を自分たちに都合のいい方向性に向けていく。こういう情報操作のことを言うのです。

なにより怖いのは、認知戦の対象が敵だけでなく、味方もという点です。つまり、自国民を対象にしているのです。認知戦のいちばん最初のターゲットは敵ではなく、自国民なのだという点で、認知戦はサイバー戦や情報戦と大きく違うのです。

まさに現代の戦争であり、私たちが絶対に理解していなければいけない戦争なのです。

核シェアリングを理解して国防を考えよ

ウクライナ戦争がいまだ続いていた２０２３年３月、ロシアのプーチン大統領は隣国ベラルーシに核兵器を配備すると発表しました。この動きによって西側諸国の緊張感は高まります。なぜなら、ベラルーシはウクライナのすぐ北に位置する国であり、ロシアとベラルーシでウクライナを核で挟み撃ちにすることが可能になるためです。

西側諸国はプーチン大統領の核配備宣言にただちに抗議しますが、プーチン大統領は逆に「アメリカはこれまで同盟国に核兵器を核シェアリングという形で配備してきたではないか。同じことをロシアがして何が悪いのだ」と反論します。

ロシア、アメリカそれぞれに言い分はあるでしょう。よって、このことについての是非を問うつもりはありませんが、同盟国に核兵器を配備する、いわゆる「核シェアリング」については日本としても考えておく必要があるのではないでしょうか？

ご存じのように日本はロシア、中国、北朝鮮と核保有国に囲まれています。ロシアは

４４９０発の核ミサイルを保有し、中国は最近４１０発の核ミサイルを持つにいたったと言われています。北朝鮮にも40発の核弾頭があることがわかっています。

加えて、わが国とこの３ヵ国との関係は決して良好なものとは言えません。中国とは尖閣諸島を巡って紛争一歩手前の状態であり、台湾有事が起これば、日本が巻き込まれるのは必至と予想されています。北朝鮮は中距離弾道ミサイルの発射実験を何百回も繰り返しています。ロシアと日本は北方領土の領有権を巡ってずっと争っていますし、ウクライナ戦争ではロシアに対して世界で最も早く経済制裁を発動したため、ロシア側から「宣戦布告とみなす」と言われています。

そんななかで、「日本もアメリカから核シェアリングしてもらう必要があるのではないか？」という意見が出てくるのは当然といえば当然でしょう。

ただし、核シェアリングについてはメリットとデメリットがあります。さらに、核保有を巡る議論はたびたび起きてはそのたびに結論が出せず、うやむやのままの棚上げ状態です。よって、この項では「核シェアリング」をテーマに、日本は核を持つべきか、持たざるべきかについて考察していきましょう。

核シェアリングは日本では「核共有」と訳しています。しかし、「共有」と言ってしまうと「核保有を共有」すると思いがちですが、核シェアリングはそうではありません。核をどのような条件で、どのようにして使うか、などの意思決定プロセスと責任を分担するもので、抑止力をシェアするものなのです。

具体的には在日米軍基地に米軍管理の非戦略核爆弾用貯蔵庫を設けてB61-12核弾頭を配備します。有事の際は、米大統領に核弾頭の供与要請を行い、大統領の許可を得たうえで自衛隊配備の戦闘機F-35AにB61-12を搭載し出撃する、というものです。つまり、「核保有の共有」ではなく、「核使用の責任の分担」ということです。日本で核シェアリングを行う場合は「非核三原則（核を持たない、つくらない、持ち込ませない）」の「持ち込ませない」の変更が必要にもなってきます。

ですから、ロシアや中国をいたずらに刺激するリスクは確実に発生します。

日本がいくら「先制攻撃はしない」と言っても、核弾頭を保有した時点で中国もロシアも北朝鮮も「日本は戦争を始めようとしている」と言い出すでしょう。

そうなった場合、国連憲章にはいまだに敵国条項――日本が戦争の準備を始めていると隣国が判断すればその時点で攻撃してもいい――が残っている以上、核兵器の保有は十分に敵国条項の発動になってしまうのです。

「では、核シェアリングなんて議論するだけムダではないか」と思うかもしれませんが、まったくムダではありません。

核シェアリングにはちゃんとメリットがあります。

そもそも、ロシア、中国、北朝鮮の3ヵ国はすでに核兵器を持っているのです。ロシアなどはウクライナ戦争で使うかもしれないとまで言われています。中国だって尖閣で紛争が起これぱどうなるかはわかりません。

彼らが先に核を保有したから日本もその脅威に備えなければいけなくなっているわけで、本を正せば、彼らが原因をつくっているのです。そんな彼らに「日本は戦争の準備を始めている」などと言われる筋合いは本来ありません。先に戦争の準備を始めたのは彼ら3ヵ国のほうなのです。

ですから、核保有について日本は常に議論をしておかなければいけません。いざとなったら「返す刀はあるぞ」というものも見せておかなければいけません。それが核シェアリングです。ただし、前述したようにこれは諸刃の剣ですから慎重に取り扱わなければいけないということなのです。

では、どう取り扱っていくかですが、まず、理解しておかなければいけないのは、戦闘機F-35Aの存在です。この戦闘機はマッハ1・6の速度を持ち、ステルス（敵のレーダーに見つかりにくい）性能があります。一方、中国の極超音速ミサイルDF-17はマッハ6です。中国沿岸からDF-17を発射した場合、10分で日本に到達しますが、この発射を受けてF-35Aが核弾頭を積んで発進しても北京に到達するまで1時間ほどかかってしまうので、即応兵器としては落第なのです。

とはいえ、F-35Aのステルス能力は最高レベルで中国のレーダー網をかいくぐることができます。つまり、攻撃から1時間後、北京を破壊しつくすことも可能なのです。なにしろ、核弾頭B61-12は最大50キロトン、広島原爆の3倍の破壊力があるため、北京などの街を破壊することなど簡単です。即応兵器としては意味を成しませんが、報復攻撃を可能とする時点で抑止力にはなるのです。

ならば、核シェアリングは有効ではないかと思うのですが、実はここにもう一つ落とし穴があります。F-35Aがレーダー網をかいくぐって北京まで来られるというのであれば、「先制攻撃が可能ではないか」という指摘です。もしもF-35AではなくF-16であれば、ステルス能力を持たないので先制攻撃は事実上不可能なのですが、すでに日本にはF-35Aが配備されていますからロシア、中国を十分に刺激してしまうのです。

「結局、核シェアリングは無意味じゃないか」そう感じた人もいたでしょうが、話はここからです。

これを踏まえたうえで、**「核シェアリングを議論する」。このことが抑止力になる**のです。すでにみなさんも感じているように、中国、ロシア、北朝鮮の軍事的圧力は日増しに強くなっています。それに抑止をかけるには日本も核所有の選択肢があること、これ以上、圧力を強めれば、寝た子を起こすことになる、ということを見せておかなければいけません。

核シェアリングそのものについて言えば、シェアを決定して1~2週間あれば、核の配備は可能です。重要なのは、日本にも選択肢がある、ということを隣国に見せつけることです。核所有はそのために使うことが最も有効なのです。

ただし、これはあくまで抑止の話であり、日本のあるべき新しい防衛の姿はほかにもあります。それについては次項でお話ししましょう。

F35-A

DF-17

電子兵器、ドローン研究、核シェルター

前項で核シェアリングの話をしました。核兵器を日本は持つべきか否かについての話になるわけですが、現在の日本で現実化させるには多くの障害があります。非核三原則の改正が必要になるのはもちろん、憲法第9条にもかかわってくるでしょう。国連憲章の敵国条項の廃止も必要になってくるはずです。ですから、私は議論を続けることが大切なのだという話をしました。

その一方で、現実的な防衛策も必要になってきます。

核ミサイルが日本に向けて発射されたとき、どうやって撃ち落とすのか？

これがなければ、報復も何もありません。

そうなった際に考えなければいけないのがミサイル防衛です。

２００８年、ミサイル防衛会議がイスラエルで開催され、アジアからは私が参加しました。

それから15年、ミサイル防衛の考え方は大きく変わってきました。ミサイルに対する

防衛能力は迎撃ミサイルよりも電子兵器のほうが圧倒的に高いということです。

具体的な数字については各国とも機密情報なので開示してはいないのですが、迎撃ミサイルを使った場合は６～７割の迎撃率である一方、電子兵器は９割と言われています。また、迎撃ミサイルは撃ち尽くせば終わりですが、電子兵器は電気のある限り撃ち続けられます。


ですから、日本は核防衛として電子兵器の研究を進めていくことが重要です。

まず、電子兵器は指向性エネルギー兵器（ＤＥＷ）と電磁兵器（ＥＷ）の２種類があります。指向性エネルギー兵器とはエネルギーを攻撃目標に照射して破壊するものです。電磁気や粒子ブーム、マイクロ波、音波などがエネルギーになり、高エネルギーレーザー波、荷電粒子ビーム、高出力マイクロ波、レールガン（電磁砲。電磁力で物体を超スピードで撃つ）などが現在研究されています。特に高出力レーザーシステムは日本の防衛装備庁が研究開発を進めている新システムです。

アメリカのロッキード・マーティン社でも、レーザー兵器の研究は進んでおり、２０２５年には戦闘機に搭載する計画もあります。

ロッキード・マーティン社のホームページによれば、２０２２年２月にレイヤード・

レーザー・ディフェンス（ＬＬＤ）システムのテストを行い、レーザービーム照射による亜音速巡航ミサイルを模した高速ドローンの追跡、撃破に成功しています。

同社の技術者は「私たちのビーム制御技術は、サンフランシスコのベイブリッジからニューヨークのエンパイアステートビル屋上にあるビーチボールを射抜くことができます」と語っています。

ＬＬＤには、ターゲットイルミネーターレーザー（ＴＩＬＬ）、ビーコンイルミネーターレーザー（ＢＩＬＬ）、高エネルギーレーザー（ＨＥＬ）の３つのレーザーが搭載され、ＴＩＬＬは標的を追尾するための高精度追尾望遠鏡とともに使用され、ＢＩＬＬは大気のゆがみを測定し、適応光学系を使ってＨＥＬの焦点を合わせ、標的を破壊します。

また、同年8月には戦術レーザー兵器システム（ＨＥＬＩＯＳ）を米海軍に納入しています。ＨＥＬＩＯＳは、60キロワット超級の高エネルギーレーザー兵器システムです。

さらに9月には同社が開発した３００キロワット級レーザーを、国防総省研究技術担当次官室（ＯＵＳＤ《Ｒ＆Ｅ》）に納入したと発表しています。

レーザー砲、メーザー（誘導放出によるマイクロ波増幅）砲、レールガンといった話が出ると一瞬、ＳＦの世界だと思われがちですが、すでに実用化され、一部は艦船などに実装されているのです。

こういったレーザー兵器の研究は日本も独自に進めているので、これはぜひ推し進めていくべきでしょう。

また、これと並行してドローン研究も重要になってきます。迎撃用で考えると数十、数百の小型のドローンを使うスウォーム防衛は必須の技術になるでしょう。ドローンをスウォーム（群れ）として使っておとりにしたり、電磁攻撃をしたり、体当たりさせることでミサイル防衛していくシステムです。これらを各都道府県庁舎、発電所などといった主要な施設の屋上にあらかじめ配備しておきます。なにしろ、中国所有の核弾頭は現在４１０個ですが、10年後には１０００個を超えるでしょう。それだけの数の核弾頭が飛んできたときに、レーザーだけですべて迎撃するのはまず不可能ですから、二重三重の防御網が必要になってくるのです。ドローンスウォームはそのためのネットになります。

ただし、それでも１００％ではありません。核攻撃は1発でも地上に落ちれば、都市を消滅させることが可能です。そうなった際、少しでも生き残れる可能性を高めておく必要があるのです。

その対策が核シェルターです。

実は私が最も危惧しているのはこの部分で、日本の核シェルター普及率は０・02％しかありません。核攻撃に対する国民一人ひとりの対応がまったくできていないのです。これは政府がまったく取り組んでいないことが大きな問題で、先進国で０・02％という数字はありえません。

たとえば、韓国は３００％です。国民一人につき、３つの核シェルターを持っていることになります。隣に核を持っている国があり、現在も戦闘状態が続いているため、用意周到になるのは当然でしょうが、それを言うならば、日本も同様のはずです。前項でも述べたように中国やロシアとの関係は、現在とても微妙です。

ＮＡＴＯ諸国を見渡しても７～８割の核シェルター率ですから日本は異常と言ってもいい低さなのです。新築にソーラーパネルを義務付けるくらいであれば、国や都道府県が補助金を出して、地下に核シェルターを設けることを義務付けるべきでしょう。

現状の家屋を強化して核シェルター化することだって可能なのです。窓と窓枠を変えるだけでもフォールアウト（放射性降下物）には効果は上がります。ある一部屋だけをシェルター化するだけでも生存率は一気に上がります。

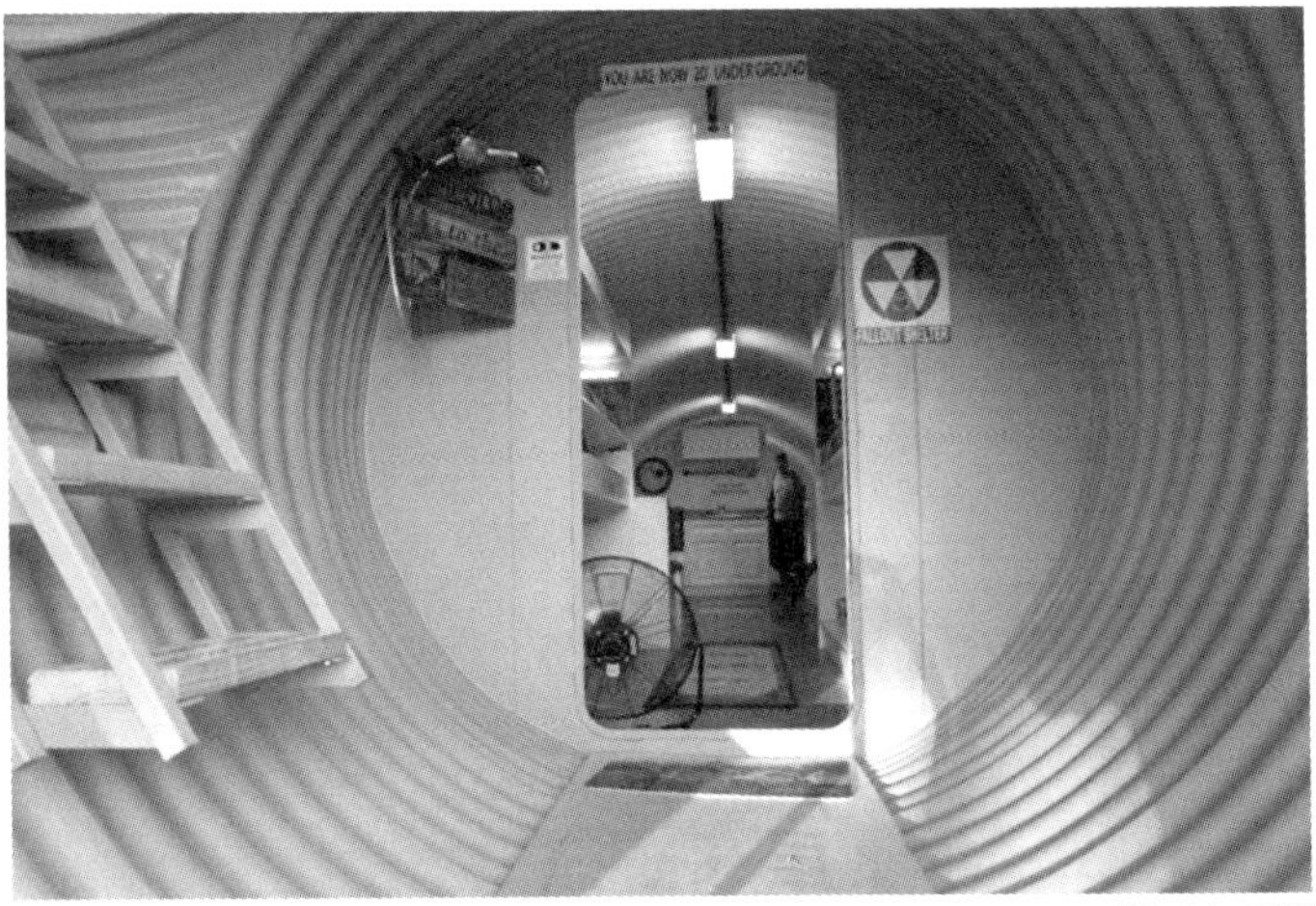

核シェルターの内部

隣国に核兵器が数千発も転がっているのに、日本はあまりにも核への対応が遅れています。それはあまりにも核をタブー化し過ぎているためです。核をタブー化し過ぎるあまり、議論すること、口にすること、考えることすら放棄してしまっています。

しかし、もうそんなことは言っていられないのです。

核シェルター0・02％で家族を守れますか？

日本という国そのものを守れますか？

核を真正面から見据えることから逃げてはいけません。

しっかり核について議論し、対応することが新しい日本の急務なのです。

防衛の要の一つとなるスターリンク

「スターリンク」に関しては２０２２年10月にＭＸテレビでその重要性について解説していますが、当時のメディアはその利便性ばかりをクローズアップしており、スターリンクの防衛利用にはあまり着目していませんでした。

　しかし、あれから８ヵ月後の２０２３年６月、自衛隊は「スターリンク」の試験運用を始め、通信性能の確認ができれば２０２３年度中にも導入する予定だと発表しました。私はスターリンクが日本での運用を開始した当初から防衛目的での使用を検討すべきだと言ってきました。２０２２年10月の段階で自衛隊は米軍との連携にスターリンクをすでに使用している可能性があるとも指摘していました。

　今回の発表は、はからずもそれが的中した形になりましたが、スターリンクの可能性については日本国民も知っておく必要があると思いますので解説しておきましょう。

　スターリンクとは、イーロン・マスク氏の宇宙ベンチャー企業「スペースX」が運用する小型人工衛星を使った通信網です。インターネットは海底ケーブルで世界をつないで情報網としています。スターリンクは数千～数万個（スターリンクは現在４０００個の小型衛星を所有し、将来的には1万個以上にする予定）の小型人工衛星をつないでインターネットと同様の通信網を実現させています。地球サイズの人工知能を宇宙空間に構築するといったイメージです。

実は、低軌道衛星を大量に打ち上げることでネットワークを構築するアイデアは私と現ソニーグループのＣＴＯ北野宏明氏が当時カーネギーメロン大学で共同研究し、１９８９年の国際人工知能学会で発表したものでもあります。

スターリンクとアクセスするには対応するアンテナを地上に設置するだけです。アンテナの大きさも50センチほど。アンテナの組み立てにしても配線済みのパーツがいくつか送られてくるだけなので15分程度で済みます。ＩＴにまったく詳しくない人でも簡単に組み立てられ、すぐに使えるようになるという利便性の高いものです。

日本ではＫＤＤＩが「スペースＸ」と提携し、商業利用を展開しています。山間部や離島、船舶上など通信網の脆弱な場所で威力を発揮しているようです。

では、スターリンクがなぜ、日本の防衛に役立つのかという話です。２０２３年現在、スターリンクはウクライナの戦場で活躍しているのです。ミサイル攻撃などでインターネットの基地局が破壊されてもアンテナさえあれば、どこでも通信が可能なのがスターリンクです。イーロン・マスク氏はこれをウクライナの人々に無償提供していますから、瓦礫と化した街でもインターネットなどの通信網と接続することができ、仲間との連絡や物資の運搬などに役立っています。

それだけではありません。スターリンクはウクライナ軍にも無償提供されています。たとえば、アメリカ軍から提供されているハイマース（ハイモビリティアーテラリーロケットシステム）は、射程の長さと命中精度の高さから戦況を一変させるゲームチェンジャーと呼ばれるロケット砲システムです。その精度は４００キロメートル離れたコインにも当てられるとされています。この正確な射撃は砲弾のなかにＧＰＳが搭載されているためです。

もちろん、ロシアはＧＰＳ衛星をスプーフィング（なりすまして誤った行動を誘う）したり、ジャミング（電波妨害）にきますが、大量のスターリンクで常にＧＰＳ座標が提供され、標的の特定を行っているから、ハイマースは成功できます。ハイマースは実はスターリンクによって支えられているのです。

このように**戦場において高い機動力を発揮するスターリンクは日本の台湾有事、尖閣有事に備える意味でも重要**になってきます。米軍との連携や、ネット環境が整っていない島しょ防衛には欠かすことのできないものとなるでしょう。

ただし、導入の際に重要になってくるものが2点あります。

それは計算機システムと通信ネットワークを導入するときに重要になってくる二つの基本原則で、一つ目は「情報の冗長性の確保」です。

冗長性とは「余分なもの」という意味で、通常はネガティブな意味で使われます。しかし、IT用語としての冗長性は代替性といった意味合いでレジリエンス（困難を乗り越える力）の一つになります。障害が発生した場合のための予備サーバを確保しておく、といった措置を「冗長性の確保」と言います。インターネット回線が破壊されてもスターリンクがあるし、スターリンクが破壊されたら、また別のルートを使って通信を維持できるようにしておくことが重要になります。たとえば、私が20年前にトヨタ自動車に提唱したのは自動車のメッシュネット化です。トヨタの新車一台一台が網目のように互いに通信しあうことで情報ネットワークを構築するものです。小型衛星ではなく、自動車を使ったスターリンクのようなものだと思えば理解しやすいでしょう。

二つ目は「ハードソフトの多様性」です。拠点ごとにコンピュータのＯＳを換えてみたり、プログラム言語を変えてみたり、クラウドを複数にしたり、経路も複数にするなどの多様性も持たせておいてハッキングに備えるということです。

前述したように、ロシアと同様に中国もＧＰＳをハッキングする技術は持っています。その中国と台湾有事や尖閣有事で日本は対峙しなければなりません。ですから、いま言った二つの事柄「情報の冗長性の確保」と「ハードソフトの多様性」は必ず行っておかなければいけません。ですから、イーロン・マスク氏のスターリンクを導入するにしても、国産の「スターリンク」も開発導入しておくべきでしょう。

ところが、日本政府はここをおろそかにしがちなのです。そのいい例がマイナンバーカードです。世界の安全保障の常識に逆行して、各省庁のデータを統合させることでトラブルが頻繁に発生しているだけでなく、ハッキングの危機にもさらされています。

国防の要の一つになりうる情報通信ネットワークですから慎重な対応が望まれます。政府任せにせず、私たちもウォッチしていきましょう。

スターリンク衛星

ハイマース

自衛隊を合理化せよ

民主主義を掲げる国の軍隊は〝文民統制＝シビリアン・コントロール〟が原則です。

日本でも、自衛隊法の第7条には「内閣総理大臣は、内閣を代表して自衛隊の最高の指揮監督権を有する」とあります。続く第8条では「防衛大臣は、この法律の定めるところに従い、自衛隊の隊務を統括する」とも書かれています。

いちばん上に内閣総理大臣がいて、その下に防衛大臣がいて、その大臣が所管する防衛省の下部機関として陸海空の自衛隊を統括する統合幕僚監部（統幕）が置かれている。みなさんの持つイメージも、だいたいそんなところではないでしょうか。

たしかに、災害派遣一つをとっても、都道府県知事の要請を受けた防衛大臣の命令なくして自衛隊は動けませんから、〝文民統制〟は過剰なほどに利いています。

軍部の暴走が招いた結果が過去の〝敗戦〟である以上、念には念を入れて、これくらい厳重なほうが安心できるという人も、おそらくいるでしょう。

ただ、実態はどうあれ、自衛隊の本分は災害派遣などではありません。有事の際に同じような手順を踏ませるようでは、とてもではないが間に合いません。

巨額の防衛予算は、実際の〝現場〟で活動する部隊が本当に必要とするものに使われるべきところ、三菱重工に代表される軍需産業をいかに支えるかを主眼に運用されているのも問題です。

一部の政治家や商社が〝防衛利権〟をがっちり握り、一方ではいわゆる〝背広組〟と〝制服組〟のディスコミュニケーションがそのまま放置されています。

相手国のミサイル基地を叩く〝敵基地攻撃能力（反撃能力）〟保有の是非をやり合うよりもまず、私たちにはすべきことがあります。最前線に立つ自衛隊と、それを司る〝文民統制〟のあり方について、いま一度、認識を新たにしておく必要があるのです。

駐屯地の視察に訪れた防衛大臣に対して、全自衛官のトップたる統合幕僚長（統幕長）がペコペコ頭を下げる――いかにも日本的な光景ですが、それが健全な関係性かと言えば、答えは明らかに「ノー」です。

では、同盟国であるアメリカの場合はどうかと言うと――。

日本の統幕長に当たる統合参謀本部議長は、陸海空、海兵隊、宇宙軍の5軍を率いる制服組のトップにして、ホワイトハウスの軍事顧問です。１００％軍人ではあるけれど、大統領や国防長官とは日々膝を突き合わせて対等にモノが言える立場でもあります。いわゆる〝星付き〟の将軍（日本の自衛隊では〝将官〟）の任命には、米議会の承認を必要とします。たとえ軍人であっても、国民から選ばれた議会の承認を得た時点で、国民に対しては〝文民〟になるというロジックです。

そもそもアメリカには、統合参謀本部やそれぞれ５軍のトップ組織が置かれている国防総省（ペンタゴン）のほかにも、スパイ映画でおなじみのＣＩＡ（中央情報局）がある国家安全保障会議（ＮＳＣ）や、沿岸警備隊やシークレットサービスを管轄する国土安全保障省（ＤＨＳ）といった、線引きのあいまいな組織はいくつもあります。

こうした組織には、本来的な〝コマンダー〟とは違う軍事のスペシャリストたる職員たちが横断的に入っています。「国を守る」という職務を遂行するうえで、そんな彼らの出自で「文民か否か」を厳しく区別する意義はほとんどありません。

言ってみれば、国民から直接選ばれた大統領という〝文民〟が、その責任においてすべての指揮権を発動する。それこそが、第二次大戦以降も常時どこかで戦争をしてきたアメリカという国が築き上げた〝文民統制〟の最も合理的な形というわけです。

対して、日本の防衛省に勤める職員の多くは、他の省庁と同じく文民の国家公務員試験をくぐり抜けた官僚たちです。政策立案や法案づくりには長《た》けていることは間違いありませんが軍人ではありません。

本来、**軍人の人事は軍人のトップが決めるべき**であり、武器調達などの予算管理、有事に係わる判断や、他国軍との連携は軍人のみがすべきです。

実際は、内閣官房副長官（内閣人事局長）が、統合幕僚長以下すべての将官の人事権を持ち、いわゆる背広組があらゆる「軍事的」判断に介入します。

以前、東大の学長を経験したこともある人が「自分の学生だった人間が、いまは文科省で課長になって私よりいばっている」と嘆いていたのを聞いたことがありますが、文民官僚と自衛隊のいびつな関係性も、言うなればそれと似たようなものでしょう。

〝お役所〟と現場を隔てる溝は、想像以上に深刻なのです。こうした溝を埋めていくことがわが国のためには必要です。

予算の使途は自衛隊に一任せよ

たしかに、将官たちに勝手をさせないという意味では、この形も〝文民統制〟かもしれません。しかし、「自衛隊の隊務を統括する」立場である防衛大臣さえもが、たまに駐屯地に「視察に訪れる」程度にしか現場のことを知らないのは、組織としては問題です。そのくせ、予算の使い道に関しては、経済界の言いなり。配備を断念した陸上配備型迎撃ミサイルシステム〝イージス・アショア〟の話を思い出してください。

イージス・アショアは、高度なミサイル迎撃システムであるイージス・システムを山口県と秋田県に陸上配備する予定だったのを、２０２０年6月15日に当時の防衛大臣が配備を中止したものです。

米海軍では空母護衛艦にイージス・システムが載せられますが、海上自衛隊ではイージス・システムを載せた主力艦艇をイージス艦と呼んでいます。

艦載の欠点は、数十発程度（対弾道ミサイルでは数発）でミサイルが尽きることと、艦は３ヵ月程度ドッグ（船渠《せんきょ》）入りするので、その間、対空能力がなくなることです。

ミサイルを打ち尽くすと、イージス艦は補給に港へ戻らなければなりません。そこで、ミサイルが尽きることがなく、ドッグ入りの必要のない陸上配備を２０１８年に決定したのを、当時の防衛大臣が配備を中止し、代替としてイージス艦を新たに2隻建造することになりました。

当時から台湾有事のリスクが上がっており、イージス・アショアもそれで配備が進められていました。それを防衛大臣が止めたので、中国のロビイングではと噂《うわさ》されていました。ただ、自衛隊の将官がイージス・アショアの中止に誰一人として反対しておらず、その他の要因も考えられます。3ヵ月のドッグ期間を考慮してイージス艦2隻が建造中ですが、1隻２０００億円です。三菱重工が請け負いましたから、三菱重工には４０００億円の受注となりましたので、三菱重工のロビイングかもしれません。

それならば、将官たちが誰も反対しなかったのもうなずけます。ただ、イージス・アショアを止めていなければ、２０２３年3月には稼働していました。イージス艦の完成は早くて２０２８年ですから、台湾有事には間に合わないかもしれません。

与党である自民党のなかにも、中国や北朝鮮といった周辺諸国との有事を、現実的なリスクと捉えて真摯に向き合う政治家ももちろんいます。

しかし、残念なことに、**この国の〝国防〟は、その根幹をなす組織やシステムが「戦争が起きない」ことを前提にできています。**武器や装備の購入はあくまで、配分された予算のなかで粛々と行うだけで、「現場で使えるかどうか」は二の次なのです。

対して、「戦争をやっている」国であるアメリカでは、100兆円にも及ぶ軍事費の大枠こそ〝文民〟の代表たる議会の承認を得たうえで決まります。一方、それをどう配分するかはすべて、5軍を取り仕切る統合参謀本部の裁量に委ねられています。

つまり、実情をよく知る現場の人間が必要性を見極めて、そのつど判断を下していくわけです。日本のように事務方に〝おうかがい〟を立てなければ防衛装備品一つ買えない、なんてことは起こりえませんし、無用なタイムラグも生じません。

さらに言えば、現場の軍人たちには、ある程度以上のランクから軍専用のクレジットカードが支給されていますから、仮に「このライフルがほしい」となった場合には、手元のカタログから各自が選んで、その場で自由に買うこともできます。

当然、特殊部隊ともなれば、その運用はもっとフレキシブルに行われます。

「軍人にそんな勝手をさせたら、危険じゃないか」

と思う人もいるでしょうが、現在進行形で戦争をやっているときに「これ、買っていいですか？」なんて悠長なことを言っていたら、そのほうが危険度は増します。

しかも、決済を専用のクレジットカードに統一しておけば、誰が何を買ったかは必ず記録に残ります。第三者へのキックバックや中間マージンも発生しません。

仮にそのカードを私的な買い物に使ったとしても、必ずあとから「明細のこの項目は何だ？」と聞かれるわけですから、最初から不正のしようがないのです。

つまり、予算の執行はすべて現場の軍人たちの裁量に任せ、〝文民〟たる政治家はそれらの使い道が適切なものかを厳しくチェックする役割を担うだけ。

日本にも会計検査院という〝役所のお目付役〟のような独立機関がありますが、そういった監視の目を機能させることが彼らの〝文民統制〟というわけです。

もっとも、軍の出動に関しては〝統制〟がより厳格です。自国の人間が一人でも死ぬ可能性がある場合は、大統領の同意を必ずリアルタイムで取る必要があるのです。

ちなみに、日本の自衛隊で、アメリカと同じような「このライフルがほしい」といった要望が上がってきた場合は、はたしてどうなるかと言うと——。

たとえそれが特殊部隊を率いる隊長クラスからの要望であっても、まず上長に伝えて、その駐屯地のしかるべきレベルで承認され、その他の次年度予算とまとめられてから、防衛省の〝制服組〟に上がって、それを省内の〝背広組〟が吟味して、さらに財務省に行き、最終的に防衛担当主計官に伝わる……という手順がいります。

決裁がおりて、ようやく手元にライフルが来たときにはすでに〝型落ち〟なんてこともザラにあります。現場の要望が一気に通ることはまずありませんから、10人、20人から成る部隊の装備がバラバラといったお粗末な事態も現実問題として起きています。

日本の防衛予算は、与党政治家や〝軍需産業〟で利益を上げる大企業、さらに代々そこに天下りをしてきた自衛隊ＯＢたちが長年かけて築き上げた〝利権〟のかたまりですから、現役の統合幕僚長といえども、そこにはおいそれと切り込めません。

２０２２年12月に、岸田文雄首相が突如ブチ上げた「5年間で43兆円」にも上る防衛費の大幅増も、あくまで政治的に「〝いい顔〟をするため」であって、本気で自衛隊を有事に対応できる組織に変えるためなどではありません。

自衛隊を巡っては〝9条〟を持つ現行憲法こそが最大の障壁のように思われがちですが、彼らがすでに組織として存在できている以上、問題はほかにあるのです。

仮に憲法を改正したとしても、露呈している構造的な問題にメスを入れなければ、世界に伍《ご》して戦える〝軍隊〟には決してなりえないのです。

自衛隊を地域雇用から切り離せ

前項では〝現場〟が手も足も出せない防衛予算の実態を説明しました。ほかにも、日本の自衛隊が〝戦える〟組織になりきれない要因はあるのです。

その最たる〝足かせ〟とも言えるのが、自衛隊が職の少ない地方にまとまった雇用を生む〝雇用対策〟を担っている、という点でしょう。

そもそも他国を侵略しない**〝自衛〟が主たる目的であるなら、陸上自衛隊が現在抱える約14万人は、どう考えても多過ぎます。**

現代の戦争では、陸続きでない日本が中露と戦争になった場合に、陸自の出番になるときは、航空自衛隊と海上自衛隊が負けた後です。そのときすでに日本は負けています。

なにしろ、その気になればミサイルとサイバー攻撃でケリがつく現代の戦争において、島国である日本の領土に〝敵国〟の軍隊が上陸するのは、日本が負けたときだけ。

そうなったときには、陸自の大部分を占める歩兵の出番はまずありません。

とはいえ、東日本大震災はじめ〝災害派遣〟の現場などでは、陸自は非常に頼りになる存在です。私たちの大多数が「自衛隊」と聞いて真っ先に思い浮かべるのも彼らでしょう。

しかし、くだんの〝災害派遣〟はあくまで「そういう能力も持ち合わせているからやりますよ」というだけで、彼らが本来担うべき〝本分〟はそこではありません。

しかも、その〝本分〟が発揮できるようなシチュエーションは、アメリカのイラク戦争のように〝他国領土に攻め込み、駐留する国〟にでもならない限り、この先もくることはないのです。

「そうは言っても仮に中国が攻めてきたら、どうするんだ」

その可能性はもちろんゼロとは言いません。しかし、攻めてくるとしても、まずは人ではなくミサイルが先です。私がもしも中国のトップなら、ミサイルさえ使いません。一斉にサイバー攻撃を仕掛けて流通網とインフラを破壊してしまえば、日本中がパニックになります。満足な資源もなく、食糧自給率もおそろしく低いいまの日本を〝干上がらせる〟ことなど、造作もないのです。

もちろん併せて認知戦を仕掛けてきます。実際台湾は現在すでに認知戦のターゲットです。

ちなみに、当の自衛隊でさえ、そんな「もしも」を本気にしていないことは、全自衛官の約6割を占める陸自が採用している迷彩服を見てもわかります。

なぜでしょうか？

万一、日本本土が戦場になるとしても、敵が上陸ポイントとして狙うのは十中八九、東京湾です。だとすれば、備えるべきはいきなりの市街戦のはずです。

にもかかわらず、その担い手となる一般の普通科隊員たちに支給されているのは、私たちにも馴染み深い緑が基調の〝迷彩2型〟と呼ばれる戦闘服だけです。

旧式に比べて素材や性能はハイテク化も進んでいるようですが、あれが「目立たない」場所なんて、都市部ではどこを探してもないですよね？

コンクリートが多い市街戦なら、狙撃手に照準を合わせにくくする必要があります。それなら、空自が採用しているようなグレーのデジタル迷彩のほうが理に適います。

たしかに、樹海が広がる富士の裾野なら緑色も役に立ちます。ただ、あそこでほふく前進の訓練をいくらしたところで、いざ市街地に出れば上からドローンが飛んできます。

陸自がいまも前提としている「山地に張った防衛ラインで食い止めて、敵を市街地に入れない」という作戦が通用したのは、半世紀前のベトナム戦争までの話です。

ほふく前進を基礎体力向上のために取り入れているなら、私も何も言いません。しかし、現状を見る限り、彼らはそれを「実戦に役立つ」と本気で思っているフシがあります。

中国やロシアの北海道上陸がありえないのは、拙著『真説・国防論』（小社、２０１７）でも詳しく書きました。大量の戦車を搭載した艦艇をロシアが日本に差し向けることがどれだけ非効率かは、すぐに想像がつくはずです。

もちろん、強固で巨大な防衛利権にいきなりメスを入れるのは並たいていのことではありません。長年、地域社会に組み込まれてきた〝雇用対策〟を、言下に「いらない」と切って捨てることも、現実にはそう簡単なことではないでしょう。

ただ、自衛隊を真に〝戦える〟組織として存続・機能させていくためには、たとえば、陸自の半数をハイブリッド軍として空自と海自に振り分けるのがいいでしょう。また、いまのところ陸自・海自を合わせても何百名オーダーの特殊部隊を２万人オーダーまで増やすべきです。

仮に自衛隊と〝地域雇用〟が今後も切り離せないとしても、いくらでも自衛隊を強くすることはできます。

〝方面軍〟より〝機能軍〟を拡充せよ

軍隊は、管轄エリアごとに戦力を統合した〝方面軍〟を編成するのが一般的です。在日米軍も所属するアメリカのインド太平洋軍などはよく知られています。

ただ、いまや軍隊も〝エリア〟ではなく、〝機能〟に特化する時代がきています。

世界最大の軍事力を誇るアメリカも、２０１８年5月に情報戦を担当していた部隊を統合・再編して〝サイバー軍〟へと格上げしています。翌年12月には、陸海空、海兵隊、沿岸警備隊に続く〝第6の軍隊〟として〝宇宙軍〟を正式に発足させているほどです。

いまや戦争は、サイバー空間と宇宙でも行われているのです。

ちなみに、２０２２年3月には日本の自衛隊も、防衛大臣直轄の独立部隊として〝サイバー防衛隊〟を発足させました。アメリカのサイバー軍の約６０００人に対し、日本のそれはたったの５４０人です。

加えてアメリカには、サイバー軍や戦略軍、輸送軍などと同じ機能別の統合軍の一つとして、〝特殊作戦軍〟（ＳＯＣＯＭ）もあります。

ＳＯＣＯＭは陸海空、海兵隊の４軍がそれぞれに持つ特殊部隊を束ね、７万人もの人員を抱えています。

名称こそよく似た陸上自衛隊の〝特殊作戦群〟が約３００人、海上自衛隊の〝特別警備隊〟（ＳＢＵ）が約90人ですから、規模の大きさからして段違いです。

日本では、現代の戦争においてすでに主力となりつつある、〝機能軍〟要員が圧倒的に不足しています。自衛隊が目下直面している喫緊の課題でもあるわけです。

そもそも、〝サイバー防衛隊〟と聞くと、各都道府県の警察本部でも導入が進んでいる〝サイバー犯罪対策課〟のような部署を想像する人もいるかもしれません。もちろん、ここで言う〝サイバー〟とは、単に情報空間だけではありません。

自衛隊のような国家防衛を担うセクションのそれは、もっと高度で多岐にわたります。

実際に運用されている近代兵器にはもれなく通信技術が搭載されています。国会で論議を呼んでいる〝敵基地攻撃能力〟にしても、まずは通信衛星を使ってミサイルの発射を赤外線で探知するわけです。これももちろんサイバーの範疇です。

もっと言うなら、敵のサーバに侵入して発射前にミサイルを無力化してしまうのがいちばんの理想で、軍事作戦は、サイバーと認知戦で完結する時代も目前です。

このような状況のもと、防衛省が常設の統合司令部を設置することを決めました。現在、サイバー戦争や宇宙での軍事活動が活発化し、さまざまな有事の可能性が想定されるようになっています。

これまでのように、陸自、海自、空自を別々に率いるようでは、迅速・柔軟に対応することができません。国家や国民に大きなダメージを与えてしまう可能性は否定できないのです。

前項でも書きましたが、これまでは、防衛大臣の下につくかたちで、統幕長が作戦指揮をとっていました。統合司令部ができることで、作戦指揮については司令部の長が行うことになります。

以前から、自衛隊にはさまざまな問題があると指摘してきました。時代や世界の流れから取り残されたシステムが維持されてきました。

今回の統合司令部は240人程度とされているので、規模としてはまだまだ小さいものかもしれません。それでも、各自衛隊がバラバラに運営され、持ち味を発揮できずにいたことを考えると、「機能」に特化しながら、3つの自衛隊の特性を生かし、平時と有事の際に、その力を最大化していく。これは新しい日本の安全保障を強化していくうえでは必要不可欠なことです。国内の災害時にも効率的に運用が期待されることでしょう。

これから日本の安全保障は多極複雑化していくことは間違いありません。そんな現実と向き合いながら、無駄なく確実に自衛隊を運用していくためには、「機能」に特化し、実際の運用を現実的に見据えた自衛隊の在り方を、私たちは今後も徹底的に議論し、現実に応じて変えていくことも念頭に置く必要があるのです。

そのための第一歩としては、私たちの国の安全保障を思考停止せずに、冷静に見ていくことが大切です。自衛隊をはじめとする国家防衛のかたちを、しっかりチェックしていきましょう。

第8章

サイバー国を建て、国家2・0に進化しよう

国籍法の改正こそが今世紀のスタンダード

日本は〝重国籍〟を認めていない数少ない国の一つです。

両親のどちらかが外国人の場合や、両親がともに日本人でも、アメリカやカナダのような出生地主義を採用している国で生まれた人などは、両方の国籍を持つことになります。しかし、それらはあくまで〝黙認〟されている例外的な措置です。

いまの国籍法では、〝重国籍〟のまま過ごしてきた人でも、20歳の誕生日がくるまでには、どちらかの国籍を必ず選ばなければならないことになっています。万が一〝重国籍〟の自覚がありながら、パスポートの取得申請をしたりすると、旅券法違反となって重い刑事罰に問われる可能性さえあるわけです。

では、なぜそこまで厳しく「認めてこなかった」のでしょうか？

たしかに以前は、〝重国籍〟を認めると、その人に対してどの国が責任を負うかの〝外交保護権〟が不明瞭になってしまうおそれはありました。複数の国のパスポートを持っていれば、出入国管理も当然煩雑になります。

重国籍だからといって、国民としての義務の履行をそれぞれの国で同じように求められたら、求められる側もきっと困ってしまいますよね。

ただ、これらの根拠が一定の説得力を持ちえたのは、20世紀までの話です。

21世紀においては、個人が複数の国籍を持っていても、そう問題は起こりません。

複雑な事務処理は、システムさえつくればＡＩがやってくれます。国際法上の取り決めはそもそも国籍とは切り離して個別に合意していけばいいのです。

パスポートを一元化しているＥＵでは、ドイツ、フランス、イタリアをはじめとした加盟27ヵ国が独立国家として存続しています。それでも人々が生活に支障をきたしているでしょうか。

「重国籍を認めたら、日本という国への愛国心が薄れてしまう」

なんて言いだす人もおそらくいると思いますが、ナンセンスです。

２０２２年のサッカーワールドカップ・カタール大会に出場したヨーロッパ諸国のうち、ＥＵの非加盟国は離脱したイギリス（イングランド、ウェールズ）と、スイス、セルビアのたった３ヵ国だけです。そのイギリスやスイスも〝重国籍〟は認めています。

しかも、各国代表選手の多くはヨーロッパの4大プロサッカーリーグで活躍しており、外国人枠からの離脱や、その後の移籍手続きのしやすさといったメリットを享受するために、新たな国籍を取得する人も少なくありません。

かのリオネル・メッシにしたって、2005年にスペイン国籍を取得済みですが、彼がアルゼンチンの誇る〝英雄〟であることは、誰の目にも明らかです。

国によっては、政治家などの特定の職業に対して制限を設けているところもあるものの、アメリカやイギリス、フランスなどは、州知事や市長クラスでも問題ありません。カリフォルニア州知事も務めたハリウッド俳優、アーノルド・シュワルツェネッガーは、いまも出生地のオーストリア国籍を保持したままです。

ここまで書いても、「それはスポーツ選手や芸能人が特別な存在だから」「ヨーロッパと日本は違う」などとおっしゃる人がいるかもしれません。

ですが、一つの国籍に個人を縛ることにすでに合理的な理由が見出せない以上、新たな選択肢ができたところで、誰の不都合にもなりえません。

日本国籍を持っていても、複数の国のパスポートを持っていたほうが都合がいい、という人には、それを認めてあげればいいだけのことです。そうむずかしい話ではないでしょう。

諸外国にはたくさんの先例があるわけですから、日本でも自分が享受できるメリットを価値基準として国籍を選べるようにすればいいだけ。

より有利な契約を得るために国籍を選ぶスポーツ選手のように、私たち自身が主体的に国籍を判断する。その姿勢こそが今世紀のスタンダードだと思います。

ちなみに、日本で〝重国籍〟が認められるようするべきことは何でしょうか。「**現行の国籍法から特定の条文を削除する**」だけです。

具体的には、国籍選択についての条文が並ぶ第11条から第14条までの「国籍を失う」うんぬんの文言をまとめて消してしまうだけで事足ります。

「自己の志望によつて外国の国籍を取得したときは、日本の国籍を失う」（国籍法11条）なんてことが書かれていたら、やっぱり二の足を踏みますよね。

でも、これらを取り去るだけで、私たちの可能性は一気に広がります。

次項ではその「可能性」について、さらに詳しく見ていきましょう。

国際版〝ふるさと納税〟を導入せよ

日本が〝単一国籍制〟を改め、複数の国籍を持てるようになるだけで、私たちはそれぞれの国への渡航や就労に垣根がなくなるなど数多くの恩恵が受けられます。

ですが、それだけではまだ不十分です。将来的には、肝心要の税金も、どの国に払うかを自分たちで選べるようにするのが理想だと思っています。

そもそもなぜ私たちは、日本という国に税金を払っているのでしょう。

もちろん、「納税は国民の義務」なのはたしかにその通りです。もっと突きつめて言うなら、税金とは私たちが受ける〝サービス〟の対価として支払うものだからです。

日本で暮らしている限りは、基本的人権が保障された生活を送れて、道路を自由に行き来し、いつでも、警察や消防、自衛隊の〝庇護《ひご》〟が受けられる。

そうして日本という〝国家〟の提供する物理的なサービスに、「恩恵を受けている」と実感できて初めて、私たちは〝納税〟という行為にも納得がいくわけです。

でもこれは、現行のものより安価で質のいいサービスがほかにあるなら、必ずしも納税先が日本である必要はもはやない、ということの裏返しでもあります。

しかも、デジタル通貨や仮想通貨が主流となるこれからは〝資産のデジタル化〟もどんどん進んでいきます。納税と引き替えに国家がその責任において担保してきた基本的人権の多くも、やがてサイバー空間のなかで享受できるようになるでしょう。

他人が簡単に書き換えられない高速で安全なビット数を保証できるかは、空気が吸える、水が飲めるといったことと同じくらい重要な位置を占めるでしょう。

そうなれば、これまで当たり前と思われてきた行政サービスにさえ、市場の競争原理が働いたとしても不思議ではありません。携帯電話キャリアを乗り換えるように、より良いプランを求めて税金の支払い先も私たちで選択する時代がくるわけです。

そのための具体的な手順は、国籍法と同じように至ってシンプルです。

いまも国内では、実質的に納税先の自治体を選べる〝ふるさと納税〟が大流行りですが、簡単に言えば、これと同じような仕組みを国家間でつくるということです。

国籍法の改正によって〝重国籍〟がすでに容認されていることを前提とすれば、あとは諸外国とそれぞれ交わしている〝租税条約〟の文言を変えるだけです。

二重課税の防止を目的として記されている、「〝恒久的住居〟がある場所を最優先とする」うんぬんを、「租税条約を締結している国家どうしであれば、納税先は自由に選ぶことができる」と書き換えるだけで、簡単に実現できることなのです。

本来は居住地で納めるべき税金を、多くの人が我先にと任意の自治体に納めているのは、ほとんどの場合、返礼品という〝見返り〟があるからですよね？

自分に〝恩恵〟のあるサービスを、日本以外の国が提供してくれるのなら、その〝対価〟として税金を振り分けたところで、問題はないはずです。

極論すれば、払うべき税金はすべて自分のデジタル資産を安全に守ってくれる国に、それ以外の行政サービスは自前ですべてまかなう、といった選択肢でもいいわけです。

もっとも、グローバル企業や一部の富裕層などは、税制上の優遇措置を受けられる国や地域、いわゆる〝タックス・ヘイブン〟に資産を移すことで、すでにさまざまな恩恵にあずかっています。見方によっては「それと同じ」と感じられるかもしれません。

でも、この〝ふるさと納税〟の国際版は、ある種の〝税金逃れ〟であるこれらとはまったく違います。法の目をかいくぐるような「脱法行為」では決してないということです。

支払うのはあくまでも、物理空間からサイバー空間に取って替わったさまざまなサービスの〝対価〟であり、日本から他の国へと支払い先が変わるだけです。

選択肢が増えることで結果的に〝安くなる〟ことはあっても、本来支払うべき税金を正当な手続きに則って払う、という意味ではこれまでと何ら違いはありません。

サイバー空間がいま以上に充実していく未来は、国籍どころか、国家という概念までもがこれまでとは大きく変わります。その気になれば、居住地という物理空間に縛られない生き方を選び取ることができるようにもなるはずです。

それでもなお、日本という国がより良い方向に自ら変わろうとしないなら、私たちのほうが日本にいながらして〝脱・日本〟という意思表示をすればいい。

前項で掲げた〝重国籍〟の容認と、納税先の自由化。

この二つをセットで実現させるだけで、私たちはいまとは比べものにならないほど多くの可能性と、より強い発言権を手に入れることができるのです。

〝eジャパン〟建国計画

日本という国にいながらにして、まったく別の国を新たにつくる。

私は本気で、それを実現させたいと思っています。

「またいきなりそんな荒唐無稽なことを……」

そうあきれている読者もおそらくたくさんいるでしょうが、一見、大それたことにも思える〝国をつくる〟こと自体は、実はそんなにむずかしいことではありません。

そのときの日本が提供するサービスが、私たちにとって満足のいくものでないなら、取って替わるべき〝ガバメント〟を自分たちの手でつくればいいのです。

それこそサイバー空間でなら、物理的な国家の枠組みから離れて〝独立〟することはすぐにでもできます。紛争の火種となる〝領土〟なんて概念も最初からありません。

そこには、人類史上初となる本来的な意味での〝国民主権〟を実現させる画期的な〝国家〟を誕生させられるポテンシャルさえあるのです。

では、そんな私たち一人ひとりがイニシアチブを取れる新たな国――ここでは〝**eジャパン**〟と呼ぶことにします――が、国連を始めとした国際社会の枠組みから正式な〝独立国〟と認められるためには、何が必要でしょうか。

１９３３年に締結されたモンテビデオ条約に基づいた現行の国際法には、〝国家の資格要件〟があります。それは、①永続的な住民がいること、②明確な領域、つまり領土があること、③政府があること、④他国と関係を結ぶ外交能力があること。この４つとされています。

このうち、①の〝住民〟については、前項でも述べたように国籍法の改正によって〝重国籍〟が認められていることが前提ですから、問題はありません。③の政府、つまり〝ガバメント〟も、ＡＩを主体としたシステムさえ構築してしまえばすぐできます。

④の〝外交能力〟も、私はいわゆる〝サイバー国家共同体〟構想の具体化に向けて、世界各国の人々とも連携を取り始めていますから、現時点でもかなりの数の国家に〝eジャパン〟を認めさせる自信はすでにあります。

世界にはアフリカやチベットにいるような、国家に属さないディアスポラ（離散民族）も数多く存在します。事実上の〝国家〟としての実体を持つリベルランド自由共和国のようなミクロネーションも少なくありません。まずは彼らと足並みを揃えることで、「eジャパンは国ですよ」「われわれと対等ですよ」と承認してもらえばいいのです。

となると、あとは〝資格要件〟から②の〝領土〟を外してもらうだけ。

私たちの「領土は今後もいっさい持たない」という平和的で合理的な主張に、国際社会が「それではダメだ」と言うなら、セルビアとクロアチアの国境地帯に〝領土〟を持つリベルランドから土地を割譲してもらってもいいでしょう。

いまのルールに照らせば、国連にこそすぐには加盟できなくても、私たちの主張に賛同してくれる国家は、将来的に必ず増えます。

なぜなら、ウクライナの戦禍を見るまでもなく、世界中で起こっている戦争や紛争のほとんどはこの〝領土〟に起因したものです。それを最初から「放棄する」と明言している私たちを「けしからん」とする道理はどこをどう探しても見当たりません。

私たちのつくる〝共同体〟が無視できないほど大きくなれば、国連のほうから「一緒にやりましょう」と頭を下げてくる可能性だってないわけではないのです。

ちなみに、日本でもデジタル庁が〝eガバメント（＝電子政府）〟を主導・推進していますが、私たちの提唱するものとはまったくの別物です。

同庁が運営する〝e－GOVポータル〟が、行政機関への各種申請や法令検索、パブリック・コメントといった手続きの電子化に特化していることからもわかるように、彼らの言う〝eガバメント〟は、単に〝行政サービス〟の効率化のみを指す言葉です。

しかも、彼らがそうした〝eガバメント〟や、性急さばかりが際立つマイナンバーカードの普及などに躍起になっているのは、私たちのより良い暮らしのためなどではもちろんありません。あくまで恩恵を受ける大手企業の既得権益を守るためです。

言うなれば、いまや〝GAFA〟を筆頭とする巨大外資の後塵を拝する存在へと成り下がった国内企業を〝救済〟するための苦肉の策でしかないのです。

そんな発想の根本からしてコチコチに凝り固まったいまの政府の中身を、サイバー空間に移したところで、本当の〝eガバメント〟とはなりえません。

英語では、政府の役人のことを〝ガバメント・メン＝Gメン〟なんて言ったりしますが、いまの日本が、彼らGメンの仕事の効率化を図ることを指して〝eガバメント〟などと呼び続けるなら、その誤った考え方、時代遅れの価値観に、私たちはそろそろ本格的に「ノー」を突きつける必要があるでしょう。

〝税金ゼロ〟のレンティア国家へ

ここからは〝ｅジャパン〟が国家として正式に承認されたあとの話です。

そこで待つ未来が、私たちにどんな恩恵をもたらしてくれるかを考えましょう。

まずやるべきは、現行の日本国との租税条約の締結です。これは時の財務大臣と話しをして、必要書類に総理大臣のサインをもらえば、それでおしまいです。私が代表として出向いてもいいですが、手続き自体はＡＩ相手でも十分足ります。

もちろんこの段階では、最大の障壁だった国籍法の改正と納税先の自由化もすでにクリアされていますから、条約締結と同時にみなさんは晴れて〝ｅジャパン〟の国民です。これまで通り日本で暮らしながら〝重国籍者〟になれるわけです。

必要なものは、インターネット接続ができる環境と情報端末だけ。ほかにコストはいっさいかかりませんし、〝ｅジャパン〟にはそもそも納税の義務もありません。

「徴税もしないで、国家運営の原資はどうやってまかなうんだ」

そう首を傾げるみなさんはぜひ、原油という潤沢な〝財源〟を持つアラブ諸国に象徴される〝レンティア国家（主に天然資源の生産収入の利益を支配者層が国民に分けて配る国）〟の姿を思い浮かべてみるといいでしょう。

２０２２年にサッカーワールドカップが開かれたカタールや日本でも人気の観光都市ドバイを擁するＵＡＥ（アラブ首長国連邦）などは、基本的には自国民の税負担はゼロです。電気などのライフラインはもちろん、医療や教育も無償です。所得税などもありません。観光客の買い物に対する課税など、コロナ禍でその情勢には多少の変化もあったようですが、現在アラブ諸国が世界有数の〝富める国〟であることは、疑いようがないでしょう。

ちなみに、一部の王族（首長）にあらゆる権力が集中しているアラブ諸国を「非民主的国家」と批判する声も多く聞かれます。しかし、生活のすべてに対する保障と引き替えに、国民の大多数があえて〝絶対君主制〟を支持しているわけですから、それは疑うことのない〝民主的〟な選択です。

彼らからすれば、先祖代々守ってきた領土からたまたま湧いた原油が、誰もがほしがる〝カネのなる木〟だっただけのことです。その利権を独占し続けることの是非は、「民主主義か否か」とはまったく違う次元で議論されるべきことでしょう。

話を戻して、〝eジャパン〟の財源はどうするかと言うと――。

〝デジタル通貨〟を発行して、それを全世界の人々に買ってもらうだけです。地理的には全世界にいる人々にeジャパンの国民になってもらいます。もちろん、日本人が圧倒的多数と思いますが。

単純にそれを買うことで資産運用をしてくれてもいいし、通貨の購入と引き替えに与えられるさまざまなサービスを享受するだけでもかまいません。

簡単に言うと、支払う義務のある税金に代わる〝権利〟を、必要な人が必要なだけ売り買いする。〝eジャパン〟はそこで調達した資金を原資として、〝国民〟の生活に必要な基本的人権のすべてを、無償で保障しようというわけです。

たとえば、教育分野では世界最高峰の教授陣、多彩なカテゴリーの識者を揃えた最先端のeラーニングシステムを多言語で構築します。日本国内の地方都市や過疎地域はもちろん、世界中の人々がいつでも高度なリモート授業を受けられるようにするのです。

医療についても〝国民〟になれば、専門医師によるオンライン診療を全世界のいつどこで受診しても当然無償です。原資に余裕ができてくれば、入院のような物理空間でのアクションがともなう行為の費用まで、将来的にはカバーできるようになるでしょう。

そして、私たちの強みはなんと言ってもサイバー空間における世界屈指の〝軍事力〟です。カーネギーメロン大学でサイバーセキュリティのフェローを務める私が強力な反撃能力、アクティブ・ディフェンスを備えたシステムをつくります。また、ジョージメイソン大学Ｃ４Ｉサイバー研究教授の私が認知戦コマンドシステムをつくります。〝国民〟になれば無償のこのサービスは、他国に提供することもできるのです。

現行の日本政府が〝条約〟という形で業務委託をしてくれるなら、国家防衛において今後ますます重要度を増すサイバーセキュリティに関しては、たとえば１０００億円規模の予算で〝eジャパン〟がまるごと請け負ったっていいわけです。

こうした〝条約〟の仕組みを活用すれば、教育や医療の分野における地域格差の是正にひと役買うことだってすぐにでもできます。〝国民〟が利用する高速道路の料金はすべて〝eジャパン〟が一括して支払う、といった〝条約〟を結んでもいいのです。

そのほか、〝eジャパン〟は国家単位でＧＡＦＡとの提携も当然視野に入れています。そうなれば、AmazonやYouTubeの有料オプションはぜんぶ無償ですし、アップルのiPadだって国民全員に無償でお渡しすることもできるでしょう。

〝eジャパン〟が私たちの生き方をガラリと変えることがおわかりいただけましたか。

東京都も〝サイバー国家〟として独立せよ

日本政府が〝eガバメント〟を推進していることはすでに紹介しました。

この意味するところは、あくまで行政サービスの〝デジタル化〟であることは説明した通りです。これには依然として多くの人々が直接的に関わり続けることが必要です。

これでは、サービスの細分化とともに組織が肥大化するばかりで、行政組織をサイバー空間に置く利点は最大限に活かせません。結局人を動かすとなれば、その維持にかかる莫大なオーバーヘッドコスト（間接費）はいっこうに減らないからです。

その点、私たちの〝eジャパン〟は、サービスを提供する正規の〝政府職員〟は基本的にすべてＡＩです。私を含めた生身の人間はあくまでそこに雇われた外注先として関わっていくだけ。ですから、これまでかかっていた余計なコストをかけずにすみます。

「行政サービスはすべてデジタル化しました。でも、従来からある霞が関の各省庁は建物ごとこのまま残します」では、いかにも本末転倒です。

であるならば、ここはさらに一歩踏み込んで、**それぞれの自治体が都道府県単位で私たちの〝eジャパン〟のような〝サイバー国家〟を目指す**というのはどうでしょう。

サイバー空間に移行した自治体が独立した〝サイバー国家〟となり、アメリカのような連邦制のもとで一つの国を形づくる。それも国のあり方としてはアリですよね？

その先陣を切るのはもちろん、わが国最大の自治体である東京都です。

単独の予算規模でも、北欧のスウェーデンやノルウェーあたりと肩を並べる巨大自治体に、そのモデルケースとなってもらえばいいのです。

「ＡＩの浸透で日本の労働人口の49％の仕事が今後10～20年以内になくなる」

そんな予測が話題となったのが２０１５年。これは、野村総合研究所と英国・オックスフォード大学が共同で発表したレポートを出典としたものでした。しかし現状をして「全然なくなってないでしょ」などと思うのは、いささか楽天的過ぎます。

単にＡＩの導入という面において日本が遅れているだけで、本格的な浸透が今後進めば、役所の窓口業務などは真っ先にＡＩに取って替わられます。

サイバー投票による〝直接民主制〟の確立に関しても、東京都の人口は２０２３年現在日本全体の約９分の１ですから、国単位のそれよりも導入ははるかに簡単です。23区であれば、最も人口の多い世田谷区でも約94万人ですから、さらにすんなりできるでしょう。

審議すべき議案や条例案を形にする作業には、ある程度生身の人間も必要です。ところが、決定事項に基づく組織の運営自体は、そのためのアルゴリズムを書いてしまえば自動化ができます。都議会や区議会を常設しておく必要さえもはやないのです。

あらゆる物事の最終決定を都民、区民の一人ひとりが下せるとなれば、これまで専従の公務員が請け負っていた職務はすべて外注でも、何ら問題はないはずです。

「そんなことをしたら、失業者であふれてしまうじゃないか」

そういった危惧はごもっともですが、こればかりは避けて通れない時代の流れです。

でも、ご安心ください。

前項でもお伝えした通り、私たちの目指す〝サイバー国家〟では、基本的人権はすべて無償ですから、仮に一文なしでも生きてはいけます。

それに、どんなにＡＩ化が進んだ世の中でも、たとえばホストコンピュータやサーバの保守管理には生身の人間は必要ですから、そこで新たな人的需要は生まれます。〝人ベース〟だった従来のサービスには、付加価値をつけて残してもいいでしょう。

1億円の不動産を衝動買いするために「明日までに印鑑証明を紙で用意してくれ」なんてことを言いだすお金持ちは必ず一定数はいますから、そんな人には「1通につき20万円＋交通費は実費で」くらいのプレミアムをつけて提供してあげればいいのです。

ここで紹介したのは、あくまでイメージの一例ですが、〝サイバー国家〟としてまずは東京都が独立する。もちろん、さまざまな資源を持つ千葉県などもレンティア国家として独立するのがいいでしょう。

そこから見えてくる未来を考えるだけで、ちょっとワクワクしませんか？

あとがき

カエルをお湯のなかに入れるとすぐに逃げ出します。水のなかに入れてゆっくり温めていくと水温の上昇に気づかず、死ぬまでお湯のなかに居続けてしまう。いわゆる「ゆでガエルの話」をみなさんも一度は聞いたことがあるのではないでしょうか？

この話自体はデマのようですが、「なんだデマか」と笑っていられないのがいまの日本人でしょう。

私たちを取り巻く環境は確実に「温度が上昇」しています。経済成長が止まっている一方で増える税金。２０２２年度の国民負担率は47・５％と所得の半分が国に徴収されています。まさに江戸時代の五公五民で、「民は生かさず、殺さず」状態です。生活はどんどん悪くなる一方です。弱い立場の人は着実に追い込まれているのではないでしょうか。

不思議なのはここまでされているのに、まだ、政府を信じている人たちです。政治家や官僚に対して「まさか、私利私欲のために仕事をするわけがない」と信じて疑わないのです。

しかし、彼らのやっていることをもう一度よく見てください。増税する必要がないのに「増税しないと日本は破綻する」と言い続けています。彼らの言う「日本の借金」は国民が政府に貸したものですから正しくは「日本政府の借金」です。私たち国民の立場は債権者のほうであり、日本政府が国民に金を返さなければいけない立場なのです。

それを政府は、国民の借金だと言い続けて、数十年も国民を欺いています。しかし、こういったことは私も含めて多くの識者が、それこそ10年以上前から指摘していることです。であるのに、「日本は破綻するかもしれない」と恐れている人は少なくありません。なぜ、こんな簡単なことがわからないのでしょうか？

政治の世界もそうです。

日本の国会議員のなかにタレント議員と呼ばれる人間がどれだけの数いるのでしょうか？

もちろん、タレント議員すべてが悪いとは言いません。主義主張を持って日本のために仕事をしている人もいるでしょう。しかし、明らかに仕事をしていない人間も多いのです。

もっとひどいのは地方政治です。元タレント議員はいま、雨後の筍のように増えています。なぜ彼ら、彼女らに票を入れてしまうのか？　国会議員の場合は比例代表制によって政党が名簿の上から票を割り振ってしまうので、国民の不見識だけを責めるわけにはいきません。政党の問題も多いにあります。

しかし、地方政治は県民、市民がその候補者に票を入れるのですから、まさに民意の反映です。その結果としての元タレント議員などの増加なのです。

はたして、日本の国民は自分の国をどうしたいのでしょうか？

自ら壊そうと思っているのでしょうか？

たぶん、そうではないでしょう。

多くの日本人は無関心なのです。政治や国家の運営は自分以外の誰かがやるものであって自分には関係ないと本気で思ってしまっているのです。もしくは、そう思うように仕向けられてしまっています。

ですから、国政がどうなろうと他人事なのです。しかし、国政こそ、私たちに最も身近な関心事なのです。なぜなら生活に直結しているからです。

目覚めましょう。政治をはじめ、社会や国家に対してもう少し関心を持ってください。関心を持ってニュースに触れ、関心を持って投票行動を取る。社会や国のあり方を真剣に考える。たったこれだけのことで日本は転生するのです。なぜなら、これまでの日本人がほとんどしてこなかったことだからです。

日本を取り巻く環境は、すでにぬるま湯ではありません。徐々に熱湯に近づきつつあります。ここで逃げることを考えるのではなく、いまこそ正しい行動を取るのです。私利私欲にまみれずに。そうすれば湯は適温に戻るのです。

夜中に女性が一人で歩いても安全な国、日本。こんな国が世界のどこにあるでしょうか？　この最高の環境がいま脅かされそうとしているのです。

最高の環境を守るためには私たち一人ひとりが政治に関心を持ち、日本に関心を持ち続けることが大切なのです。

そのための50の提言を本書で書いたのです。これを実践していきましょう。

そうすれば日本そして私たちは必ず、変わります、これまで以上の日本に。

日本国転生とはそういう意味なのです。

認知科学者　苫米地英人

著者

苫米地英人（とまべち・ひでと）

1959年、東京都生まれ。認知科学者、計算機科学者、カーネギーメロン大学博士（Ph.D.）、同CyLabフェロー、ジョージメイソン大学C4I&サイバー研究所研究教授、公益社団法人日本ジャーナリスト協会代表理事、日本外交政策学会会長。マサチューセッツ大学コミュニケーション学部を経て上智大学外国語学部卒業後、三菱地所財務担当在籍のまま、イェール大学大学院計算機科学科ならびに人工知能研究所にフルブライト留学。その後、コンピュータ科学の世界最高峰として知られるカーネギーメロン大学大学院に転入。哲学科計算言語学研究所ならびに計算機科学部に所属。計算言語学で博士を取得。徳島大学助教授、ジャストシステム基礎研究所所長、通商産業省情報処理振興審議会専門委員などを歴任。

編集協力　中村カタブツ君　鈴木長月　布施菜子
写真提供　ユニフォトプレス　共同通信社／ユニフォトプレス
DTP　有限会社マーリンクレイン
装丁　秦 浩司
図版作成　室井浩明（STUDIO EYES）

日本転生《にほんてんせい》　絶体絶命《ぜったいぜつめい》の国《くに》の変《か》え方《かた》

2023年12月2日　初版　第1刷発行

著　者　苫米地英人
発行者　多田敏男
発行所　TAC株式会社　出版事業部（TAC出版）
〒101-8383 東京都千代田区神田三崎町3-2-18
電話　03（5276）9492（営業）
FAX　03（5276）9674
https://shuppan.tac-school.co.jp
印　刷　株式会社ミレアプランニング
製　本　株式会社常川製本

ISBN 978-4-300-10437-8
N.D.C. 302